DE QUOI LE QUÉBEC
A-T-IL BESOIN EN ÉDUCATION?

DE QUOI LE QUÉBEC A-T-IL BESOIN EN ÉDUCATION?

Propos recueillis par
Jean Barbe, Marie-France Bazzo
et Vincent Marissal

Collaboration à l'édition : Carole Bouchard

LEMÉAC

Ouvrage édité sous la direction
de Jean Barbe

Conception graphique de la couverture : Gianni Caccia
Photos : © Dino O. / © Vahe Katrjyan / Shutterstock.com

Leméac Éditeur reconnaît l'aide financière du gouvernement du Canada par l'entremise du Fonds du livre du Canada pour ses activités d'édition et remercie le Conseil des arts du Canada, la Société de développement des entreprises culturelles du Québec (SODEC) et le Programme de crédit d'impôt pour l'édition de livres du Québec (Gestion SODEC) du soutien accordé à son programme de publication.

ISBN 978-2-7609-1216-8

© Copyright Ottawa 2012 par Leméac Éditeur
4609, rue d'Iberville, 1er étage, Montréal (Québec) H2H 2L9
Dépôt légal – Bibliothèque et Archives nationales du Québec, 2012

Imprimé au Canada

EN GUISE D'INTRODUCTION

Puisqu'elle est à la base du regard que l'être humain pose sur le monde et sur lui-même, l'éducation est un enjeu de toute première importance. Tout ce qui vient après le simple mode de survie (se nourrir, se protéger, se reproduire) appartient à l'éducation. L'école n'en est qu'un aspect. Nous croyons ce livre nécessaire puisque les enjeux d'aujourd'hui et ceux de demain réclament de plus en plus une connaissance des mécanismes complexes du monde. Pour comprendre que la planète se réchauffe, des notions de base en sciences sont nécessaires. Et pour savoir que la Bible est un livre métaphorique, il faut des notions d'histoire.

Pour comprendre comment il est possible que là on crève de faim tandis qu'ailleurs on conduit une voiture recouverte d'or blanc, il faut des notions d'économie, de sociologie, de sciences politiques.

Bien sûr il faut manger. Bien sûr il faut travailler. Bien sûr il faut vivre, et bien sûr que pour vivre, il faut une job.

Mais est-ce bien vivre que de vivre pour cela?

Des grandes questions se sont posées à nous dans l'année qui s'achève. De grands mouvements de foule ont forcé la population du Québec à contempler avec une certaine inquiétude un avenir qui, auparavant, semblait pourtant tout tracé.

Ce livre est une enquête auprès de certains penseurs, de certains praticiens de l'éducation. Leurs réponses ne sont pas des vérités absolues, mais des esquisses d'un possible, des coups de sonde dans les profondeurs de nos difficultés, des témoignages.

Le monde se dématérialise sous nos yeux à une vitesse folle. Alors même que les ressources naturelles s'épuisent, l'information se multiplie, se reproduit, se subdivise, envahit tout. Serons-nous les victimes ou les acteurs de notre avenir collectif?

Ce livre est notre contribution à ce débat qui doit impérativement avoir lieu.

Il est imparfait, évidemment. Et, de ses imperfections, je suis le premier responsable, puisque j'ai eu la tâche de le mettre en forme.

Mais il est surtout, je crois, un premier pas dans la bonne direction.

Jean Barbe

PRÉFACE

De manière générale, le Québec se fout de l'éducation. On a découpé des carrés, des mètres de feutrine et des kilomètres de *duck tape* rouge en son nom au printemps 2012. On a monopolisé des heures d'ondes publiques et tribunes téléphoniques, débats, récriminations ou élans de sympathie autour desdits carrés. On a battu le bitume, les casseroles et les woks, on a déchiré sa chemise et manifesté à poil ! Ces derniers mois, on a vu la société québécoise se polariser comme rarement dans sa courte histoire. En marchant, en revendiquant, à fond, à mort ; on a cru dur comme fer qu'on parlait d'éducation.

Erreur.

Il y avait, lors de ces manifestations printanières, ce slogan percutant : « La loi spéciale, on s'en câlisse. » Si on était honnête, si on avait ausculté sérieusement notre tréfonds collectif, le véritable slogan aurait dû être : « L'éducation, on s'en câlisse. » J'exagère, mais à peine...

De quoi a-t-on parlé, au juste, pendant ces semaines enflammées ? D'un ras-le-bol généralisé, de lassitude envers le gouvernement libéral de Jean Charest. La cause étudiante était devenue le carrefour de toutes les exaspérations citoyennes. Mais au tout début de ce mouvement, avant que ne surgissent la loi 78 et la multiplication des causes, de quoi était-il question ? D'éducation ? Non, d'argent. D'accès financier aux études supérieures. De la volonté de geler les droits de scolarité. Nous n'étions pas, collectivement, dans un grand, généreux et nécessaire débat sur l'idée de garantir l'accès du plus grand nombre aux études postsecondaires, avec une mission humaniste et des contenus riches et variés. *Stricto sensu*, c'était, au départ, déjà, une lutte corporatiste visant à préserver les conditions existantes. Sauf à de rares exceptions, le débat tournait, sur la place publique, non pas autour de ce que devrait être la nature, la place de l'université dans une société néolibérale ou même, plus généralement, plus profondément, de la valeur qu'on accorde à l'éducation, ici, chez nous. On ne discutait que marginalement de savoir, de connaissances et de marchandisation. Tout l'espace était occupé par des préoccupations conservatrices de protections des acquis. Réfléchir à la finalité de l'Université, à sa place et son rôle dans notre société québécoise : bien peu. On s'est enflammé, longtemps, durement, durablement, comme rarement on le fait au Québec... pour des considérations fondamentalement corporatistes.

« Cinquante cents par jour », martelait l'ex-ministre de l'Éducation, madame Line Beauchamp, faisant référence à ce que coûtait la hausse des droits de scolarité à chaque étudiant universitaire. Argument purement démagogique, certes. Mais la réponse, en face, était tout aussi néolibérale ! Un argumentaire radical, humaniste, prenant en compte et mesurant la valeur (monétaire et autre) inestimable de l'outil collectif et individuel qu'est l'éducation pour une société du XXIe siècle, ne se serait pas égaré avec autant d'opiniâtreté dans ces plates-bandes épicières, calculant son bénéfice à la cenne près.

On a fait grand cas du panda à câlins, mascotte anarchophilosophique du conflit, alors qu'on ne voyait pas l'éléphant qui était juste là, au milieu de la place : le manque de considération pour l'éducation au Québec.

Pourquoi si peu de jeunes se rendent-ils à l'université ou même, malgré la gratuité, au cégep ? Pourquoi tant d'échecs, de décrochage ? Pourquoi ce désamour envers l'éducation ? Pourquoi ce manque d'enthousiasme vis-à-vis du savoir ? Pourquoi encore cette ancestrale méfiance vis-à-vis des choses intellectuelles ? Pourquoi l'éducation, cinquante ans après les progrès inestimables permis par le rapport Parent – ce formidable cadeau qu'une société s'est offert à elle-même –, est-elle encore si peu valorisée en cette contrée minoritaire d'Amérique du Nord? Le Québec a été une société peu instruite où seule l'élite et quelques privilégiés talentueux avaient accès aux études prolongées. La Révolution tranquille et son formidable «bras armé» en éducation, la commission Parent, l'a tiré de l'ignorance, rendant l'instruction gratuite et obligatoire. Ce fut un fabuleux outil qui a contribué à façonner en profondeur – et durablement – la société québécoise moderne naissante.

Les maîtres d'œuvre de cette réforme... révolutionnaire savaient à quel point l'éducation est la clé de l'émancipation collective et qu'on ne peut en faire l'économie si on veut tirer l'ensemble vers le haut.

La démocratisation de l'éducation semble toutefois s'être confondue au fil du temps avec une banalisation. Comme si on avait oublié ce à quoi pouvait servir cet outil essentiel. Au fil des décennies et des réformes, on a pratiquement oublié ses racines fondamentales.

Sinon, comment expliquer ce décrochage scandaleux au secondaire, cette hémorragie hebdomadaire légitimée par le système, les parents, la société au grand complet? Comment accepter qu'on délivre, bon an mal an, des diplômes à un contingent d'analphabètes fonctionnels qui passent entre les mailles du système éducatif? Comment justifier que, à l'université, le savoir soit de plus en plus assujetti à la logique marchande sans qu'on s'en offusque outre mesure? Comment comprendre que l'éducation soit presque perçue comme un mal nécessaire dans la plupart des cas, voire comme un obstacle à un accès rapide au marché du travail pour de nombreux adolescents partout sur le territoire? Pourquoi s'étonner que quiconque manie minimalement la langue et les concepts passe encore pour un «maudit intello»?

Comment se fait-il que l'idée d'une culture générale commune passe pour un fumeux concept qui nuirait à la finalité du projet éducatif, soit produire de bons petits citoyens parfaitement formatés pour le marché du travail?

Beaucoup plus de questions que de réponses surgissent lorsqu'on se met à penser à notre système d'éducation. Où, comment, quand a-t-il failli? En quoi avons-nous réussi? Et, surtout, que veut-on en faire, dans quel but, avec quel dessein? Ces questions sont primordiales. On ne pourra pas en faire l'économie quand bien même on entreprenait une énième réforme partielle, un ravalement de façade de notre maison commune.

Plusieurs croient, espèrent, que nous en sommes à un moment charnière de notre histoire, tant politiquement, socialement que démographiquement. Les fondements sur lesquels s'est élaboré le Québec moderne montrent des signes de fatigue. Les infrastructures, tant physiques qu'institutionnelles, craquent de partout. «Fin de cycle», écrirait Mathieu Bock-Côté. Oui, ça sent le nécessaire changement. Chose certaine, avant d'entreprendre une refonte en profondeur, il faudra avoir les questions les plus fondamentales en tête, qu'elles nous servent de guides et de repères. Nous n'aurons pas le luxe de rater notre coup.

Il faudra mettre l'éducation au cœur de cette révolution. Faire de l'éducation un chantier national, plus même que la santé. Parce qu'on ne peut plus laisser échapper des jeunes, c'est-à-dire notre avenir, comme on le fait et comme on l'a fait depuis des années. Pour eux, pour nous. Parce que l'éducation, dans une société du savoir, un monde où nous sommes en concurrence avec l'autre bout de la planète, est l'outil principal et premier. Parce que nous sommes condamnés à l'excellence si nous voulons survivre, nous, minuscule société minoritaire en Amérique. Mais d'abord parce que le Savoir, la culture générale et les connaissances sont la base, ce qui fait de nous, avant même de produire une collectivité performante, des individus allumés, informés, curieux, qui débattent, discutent, font des choix. Du monde pas commode à «gérer», mais du monde équipé pour passer à travers le XXIe siècle en faisant des flammèches du cerveau...

Il faudra se préoccuper de tous les niveaux d'enseignement, et consacrer une attention particulière au primaire et au secondaire, car c'est là que tout se joue, que la suite des choses se décide. Il est là, le vrai scandale. Chez tous ces jeunes qu'on regarde décrocher, impuissants, bien plus que dans l'augmentation des droits de scolarité à l'université. Quand on parle de chances égales pour tous... Il faudra aussi impérativement se soucier de la qualité des écoles publiques, dont une partie importante des ressources (tant humaines que financières) est pompée par le secteur privé. Parce que c'est possible, du public de très haut niveau qui côtoie du privé... privé !

Ce livre est rempli de pistes de solution sur ce qu'il faudrait faire pour que l'éducation devienne LE chantier qui rallie tous les Québécois. Il pose aussi un nombre important de questions.

Mais, pour moi, la principale demeure, qu'il faudra absolument affronter parce que, sinon, tout ne sera que réformes ponctuelles, vœux pieux et *plasters* sur une plaie ouverte : Pourquoi se fout-on de l'éducation au Québec ?

Un début de réponse, peut-être...

Accorder de la valeur à l'éducation, que ce soit à l'échelle de l'individu ou à celle d'une nation, c'est faire le pari que, si ça fait une différence, c'est avec le temps. C'est long. C'est ardu. Ça paye – dans tous les sens du terme, le premier étant de devenir un humain moins con – à long terme. Dans une vie d'humain, quelque part vers l'âge adulte bien entamé. Dans la vie d'un peuple, au bout de deux ou trois générations. Le peu de valeur accordée à l'éducation traduirait-il notre difficulté à nous projeter en avant ?

De quoi le Québec a-t-il besoin en éducation ? De plein d'affaires. D'idées. De persévérance. De raccrochage. D'accrochage. De petites écoles. De plus de culture générale et de moins de finalité marchande. D'un secteur public qui fasse l'envie de tous. De profs respectés. De parents qui embarquent. Mais surtout, surtout, que l'on y croie. Qu'on croie qu'on le fait pour quelque chose qui nous dépasse. Qu'on se fait un cadeau collectif inestimable : celui de la connaissance. Celui d'un Québec instruit, qui pousse les capacités de chacun au maximum.

Tiens, ça donne envie de descendre dans la rue...

Marie-France Bazzo

De quoi le Québec a-t-il besoin en éducation?

Camil Bouchard
Psychologue, ex-député

Les enfants et les profs se retrouvent quotidiennement dans un environnement physique, on l'oublie souvent. Et cet environnement est déficitaire au Québec depuis longtemps parce que le boom de naissances après la Deuxième Guerre mondiale a suscité la construction, dans les années 1950 et 1960, de très nombreuses écoles, surtout dans les quartiers populaires. Ces quartiers-là, désormais, sont plus ou moins désertés. Il y a beaucoup moins d'enfants, mais on continue d'envoyer ceux qui restent dans ces écoles décrépites. Il y a des champignons, l'air est vicié, et la lumière ne pénètre plus tant les fenêtres sont opaques !

La première chose à faire alors – surtout dans les quartiers populaires –, c'est d'offrir aux enfants et aux enseignants des environnements physiques inspirants, qui envoient le signal que l'éducation est un enrichissement immédiat dans la vie. Des lieux qui font en sorte que l'enfant est fier d'aller à son école le matin parce qu'il y a de la lumière et des espaces pour interagir avec les autres enfants et les profs. Bref, un milieu où l'éducation est inconsciemment associée à la beauté, à l'inspiration...

Un autre aspect important de l'environnement physique, c'est la taille des classes et la taille des écoles. Dans les établissements scolaires types du XXIᵉ siècle, il faudrait plusieurs campus sur un très grand terrain. Et lorsque les écoles dépasseraient cinq ou six cents enfants, on y créerait de nouvelles unités, plus petites. Ainsi, l'école serait un pavillon, une unité en soi, avec son propre matériel, sa propre philosophie, ses propres règles. La bonne gestion en éducation, c'est concilier l'accès aux équipements communs et la construction d'un sentiment d'appartenance.

Car le sentiment d'appartenance est un antidote au décrochage. Notre très grande erreur a été de faire de trop grandes écoles. Une théorie des années 1960, toujours très populaire dans les écoles de gestion, affirme que, lorsqu'il y a surpopulation dans un environnement donné, on peut se débarrasser facilement de ceux qui sont déviants, de ceux qui ne font pas l'affaire, puisqu'ils ne sont pas nécessaires au bon fonctionnement de l'unité. C'est une notion centrale dans les établissements scolaires, et c'est là que se joue la question du décrochage.

Prenons l'exemple d'une école où il y aurait une équipe de ringuette inscrite dans une ligue interécoles. La probabilité qu'un enfant fasse partie de cette équipe augmente à mesure que la taille de l'école diminue. Mais, autour de l'équipe, il y a également des rôles à jouer : les supporteurs immédiats, qui crient et qui *cheerleadent*; ceux qui préparent les feuillets de publicité ; ceux qui prennent des photos lors des matchs, etc. Ainsi, l'environnement est organisé pour créer le plus de «rôles actifs» possible parmi les élèves.

C'est ce qu'on appelle, dans le langage écosystémique, la «zone de pénétration». C'est la zone qui est la plus proche du leadership, constituée par ceux qui ont des rôles individuels essentiels dans l'aménagement de l'activité. Plus l'enfant est proche de cette zone-là, plus il est indispensable. Et plus il en est loin, plus on peut se passer de lui.

Dans un grand ensemble, dans un établissement de grande taille, la plupart des enfants ou des jeunes dans les écoles sont... tolérés, ils n'ont pas de rôle. L'enfant devient un spectateur, un invité ; son absence ne changera rien. Or ceux qui s'attachent à l'établissement, ce sont ceux qui ont les rôles les plus actifs. Pourquoi ? Parce que l'établissement leur reconnaît une importance. L'école lui dit : «Toi, si on t'avait pas...»

J'ai joué jadis au ballon-balai à l'école. Je me rappelle encore le but que j'ai compté et grâce auquel mon équipe est devenue championne de la ligue. Je m'en souviens comme si c'était hier parce que plusieurs de mes amis étaient venus me féliciter et que le directeur m'avait donné une tape dans le dos.

Si des enfants dont le talent est limité sur le plan scolaire se trouvent un rôle où ils excellent et si ce rôle est reconnu comme essentiel, ils deviennent des éléments formidables dans leur environnement. C'est un incroyable antidote au décrochage.

Les auteurs du livre *Big Schools, Small Schools*, dans les années 1970, tapaient sur ce clou-là de toutes leurs forces. Ils faisaient la démonstration que plus les écoles augmentent de taille, moins on est capable d'ajuster le ratio « acteurs actifs/acteurs passifs ». Car ce n'est pas vrai qu'on peut multiplier les équipements autant de fois qu'on multiplie le nombre d'élèves. Une grosse école n'aura pas huit équipes de ringuette !

Mais il faut rationaliser les budgets... Or, on ne peut pas prétendre rationaliser les budgets, dans une grosse école, et offrir le même type d'équipements, la même accessibilité, la même disponibilité, la même attention à chacun des acteurs qu'il est possible de le faire dans une petite école.

De quoi le Québec a-t-il besoin en éducation ? Il a besoin d'écoles intelligentes, construites intelligemment pour mettre en œuvre l'intelligence, d'une écologie qui soit compatible avec le développement du sentiment d'appartenance chez l'enfant et sa fierté d'occuper cet environnement.

Diane Boudreau

Enseignante au secondaire récemment retraitée

L'éducation est l'une des dernières préoccupations des Québécois. S'ils disent que c'est leur priorité, c'est pourtant le dernier de leurs soucis. Ce que j'ai vu depuis cinq ans, ce que le ministère de l'Éducation fait en matière d'évaluation et de pondération, c'est de la bêtise. Pour l'année 2011-2012, les bulletins étaient ridicules : les deux premières étapes valaient 20 % chacune, et la dernière étape, qui dure cinq mois, 60 % ! Cinq mois ! Et on décidait nous-mêmes de la valeur de tous les travaux qu'on évaluait pendant ces cinq mois. C'était la même situation pour l'examen de fin d'année de quatrième secondaire, étant donné que ce n'est pas un examen du ministère. Nous, à notre école, on a décidé que l'examen final valait 30 %, mais à l'école voisine, on a peut-être décidé que c'était 20 %. Il n'y a pas de portrait général. Avant, c'était 40 % pour tout le monde, dans toutes les écoles du Québec, même si c'était un examen local. Là, un enseignant peut considérer trois notes ; l'autre, dix. Il est vrai qu'un certain nombre d'éléments relèvent de l'autonomie de l'enseignant, mais un examen final fourre-tout dont la valeur change d'une école à l'autre ou même pas d'examen final du tout (car c'est facultatif en français de quatrième secondaire), c'est autre chose.

Comme il n'y a plus de bulletin au mois de mars, la direction nous demande de remplir un formulaire pour les élèves qui sont en échec, mais si les enseignants sont professionnels, ils ont appelé les parents depuis longtemps pour leur dire que leur enfant avait des problèmes ! En ce qui concerne l'examen de cinquième secondaire – une lettre ouverte –, que les élèves fassent vingt fautes d'orthographe ou cent cinquante, c'est vingt points qu'ils perdent de toute façon. C'est pour ça qu'à peu près tous les élèves de cinquième secondaire réussissent. Pour le vocabulaire, on ne peut pas avoir zéro ; le minimum, c'est un sur cinq.

Même si on dit que les compétences ont disparu, c'est faux parce qu'on parle de la compétence « écrire des textes variés », de la compétence « lire et apprécier des textes variés », etc. Ça, ça ne disparaît pas. Je donne un exemple. Disons qu'il y a un élève qui a 55 % comme note finale en écriture, mais qu'il a 70 % dans les deux autres volets – « lire » et « communiquer oralement » –, il réussit. On fait la moyenne, ça donne autour de 65 %, mais c'est un échec quand même pour l'écriture ! Pourtant, les enseignants de français se font un devoir de rappeler à leurs élèves qu'il est important d'obtenir une moyenne de 70 % s'ils ne veulent pas être obligés de suivre un cours de grammaire non crédité au cégep...

Savoir lire, répondre à des questions sur un texte, en cinquième secondaire, normalement on devrait en être capable. Faire un oral, c'est ridicule, c'est trois minutes. S'exprimer sans faire de fautes pendant trois minutes, ce n'est pas si difficile ! Mais en quatrième secondaire, c'est 40 % pour la compétence « écrire », 40 % pour la compétence « lire » et 20 % pour la compétence « communiquer oralement ». Pour 60 % de la note, l'importance n'est pas donnée à l'écriture ! Et les correcteurs des examens du ministère sont beaucoup moins sévères que nous le sommes en classe. Quand je parle de médiocrité, c'est vraiment vers là qu'on s'en va.

Le pire, c'est que ça continue à l'université. On demande aux élèves qui terminent le cégep et qui veulent s'inscrire en éducation une moyenne minimale de 65 %, soit une cote R de 20. Mais pour quelqu'un qui s'inscrit en médecine vétérinaire, on exige une cote R de 32,9, une moyenne de 85 %. On est en train de déprécier grandement la profession. J'ai comparé les exigences de presque toutes les universités, et ça joue dans les mêmes chiffres. Selon moi, il faudrait exiger une cote R d'au moins 26.

Ce qu'on reproche souvent à la formation des enseignants, c'est qu'elle ne produit plus de spécialistes. En sciences humaines, ils ont une formation en géographie, en histoire, mais elle est très diluée. Un élève le moindrement brillant peut facilement «planter» un prof, notamment si celui-ci fait des fautes au tableau. Je trouve ça dommage, je me dis que ça va les perturber : les jeunes profs vont se décourager. Il y en a en *burnout* après moins de cinq ans. Pourquoi ? Parce qu'ils sont déstabilisés.

Moi, j'ai étudié longtemps, et ça me sert parce que, grâce à ma culture générale, je peux faire des liens avec la géographie, la littérature, le hockey, etc. Ça me donne une certaine assurance. C'est sûr que, au début de ma carrière, j'avais moins d'assurance, mais plus j'ai acquis de connaissances, plus ça m'a servie. La culture générale est essentielle, mais encore faut-il que les enseignants soient formés et aient les outils pour l'acquérir.

Je trouve qu'on prépare mal les jeunes profs. Ils me disent souvent que ceux qui leur enseignent la gestion de classe n'ont jamais mis les pieds dans une école. Quelques-uns de mes élèves sont décédés pendant ma carrière – suicide, maladie ou mort accidentelle. Les jeunes profs ne sont pas formés pour faire face à ce genre de situations.

Fabienne Larouche
Scénariste

Le Québec a besoin d'un retour à la compétence en matière de connaissance. Par essence, la connaissance est infinie, donc sujette à différencier les individus. On sait plus de choses que l'autre, ou moins, selon le sujet, la matière. Ceci vaut pour l'enseignant comme pour l'élève ou l'étudiant. En voulant préserver exagérément l'amour-propre de chacun, en éliminant la notion de performance, l'émulation et, surtout, l'effort qui vient avec, on a créé des générations de cancres qui ont l'impression de faire de grandes découvertes à l'université alors qu'un enfant de dix ans en savait tout autant dans les années 1950. Par paresse, nous avons banni l'échec qui était, bien plus que l'échec de l'élève, celui du système et de l'enseignant. Qui plus est, en fondant notre système d'éducation sur le plus faible, on ne s'est pas donné un milieu plus structurant, on a simplement allégé celui-ci de ses exigences fondamentales en livrant à tous le message que notre société vit par le plus faible et se développe par lui. La tragique rencontre de l'élève avec notre réalité sociale, à la sortie du secondaire, vient malheureusement rappeler que cette pensée est un déni de réalité. Personne, chez nous, ne sera pris en charge dans le monde du travail. Personne ne sera soutenu pour devenir performant.

De plus, avec des classes trop populeuses, l'enseignant ne peut pas stimuler l'effort et le dépassement de soi chez l'élève. C'est déjà bien quand le maître réussit à livrer une matière « générale ».

Enfin, notre système d'éducation est construit à l'envers. On met à la retraite des gens qui commencent à comprendre ce qu'est la pédagogie pour les remplacer par des jeunes qui n'ont pas fini leur apprentissage et qui manquent d'expérience. Qu'est-ce qu'enseigner, au fond, si ce n'est donner accès à une expérience personnelle ?

Un enseignant peut, bien entendu, se contenter de livrer un programme scolaire comme une machine, mais la très grande majorité des individus qui se destinent à cette profession ont un autre idéal. Ils veulent établir une relation avec l'élève pour lui donner le goût de la connaissance et lui permettre ainsi de dépasser le maître, tout en se dépassant lui-même.

Guy Rocher
Sociologue

Ce qui m'apparaît – depuis longtemps d'ailleurs –, c'est une insensibilité à la priorité nationale de l'éducation. C'est toute la perspective de l'avenir – individuel et collectif – qui n'est pas assez présente dans nos discussions collectives. C'est un aspect de notre culture en ce moment, une culture du présent, du «vivre le moment». C'est une culture d'adultes arrivés.

C'est aussi une perspective plus individuelle que collective. C'est la culture de «la classe moyenne», mais «la classe moyenne» entendue dans un sens particulier. Les sociologues américains font une distinction entre *upper middle class* et *lower middle class*. Or la *upper middle class*, c'est la classe moyenne la plus considérable dans notre société, c'est elle qui donne le ton. Le ton d'une culture individualiste, la culture du succès personnel, de la performance, de la consommation, du «je-me-moi».

C'est dans cette perspective culturelle qu'on considère l'éducation, et non pas comme un *bien national*. Je ne parle même pas de *bien commun*, je parle de *bien national*. Au Québec en particulier, à cause de notre situation géopolitique en Amérique du Nord, plus que partout ailleurs nous aurions besoin de valoriser l'éducation comme notre principal espoir de nous réaliser collectivement, de nous singulariser, d'arriver à une unité nationale avec l'intégration des nouveaux arrivants.

C'est dans le sens de l'unité nationale qu'on doit considérer l'objectif de l'éducation. Or, à mon avis, le grand problème, c'est la valorisation de l'éducation.

Il s'est opéré un important virage culturel aux portes des années 1990. Le vieillissement de la population a fait en sorte que, tout à coup, la question de la santé a pris le dessus. Et comme la classe dirigeante avait connu un important succès économique (basé sur les réformes de la Révolution tranquille), elle s'est soudain transformée en une classe de consommation. Cette classe a ressenti le besoin de consommer, de s'installer une résidence en Floride, de faire le tour du monde – le tourisme est devenu un objet de consommation majeur dans notre culture. Il est là, le tournant : quand la génération qui avait été aux études dans les années 1960 est arrivée aux années 1990, elle est passée à autre chose. Elle est passée à son propre succès. Nous avons perdu de vue, à ce moment-là, une partie de ce que la Révolution tranquille avait voulu être et avait voulu réaliser.

Ce que j'ai constaté au printemps 2012, c'est que ce sont les étudiants manifestants – surtout les plus militants – qui ont le mieux représenté l'objectif collectif et la problématique collective de l'éducation.

Leur discours est un discours nouveau – pour moi, en tout cas – qui rappelle celui de la Révolution tranquille. Ce sont eux qui parlent de justice sociale, de redistribution de la richesse, et d'autres modes de financement de l'université et de l'éducation en général. Ces jeunes-là représentent encore une minorité, leur discours n'est pas le discours dominant, néolibéral. Le discours dominant, c'est celui du consommateur-payeur et d'une mauvaise «juste part».

Ainsi, le fond du problème échappe à la majorité de la population. Le fond du problème, c'est une redistribution beaucoup plus juste et beaucoup plus égale de l'ensemble du financement de l'éducation, alors que le discours dominant fait croire à une fausse justice, à une justice tronquée. Je ne sais pas si c'est un discours anti-intellectuel, mais c'est certainement un discours qui manque d'intelligence.

Le Québec a besoin que l'ensemble de son système d'enseignement approfondisse davantage la culture fondamentale, ce qu'on appelle l'éducation générale. S'il y

24

a un grand danger avec la spécialisation de l'enseignement, c'est bien l'approche utilitariste. Ça menace tout système d'éducation, le nôtre comme tous les autres.

Je trouve que notre culture québécoise manque de profondeur, d'«ensouchement». Notre culture devrait avoir plus de profondeur historique, explorer nos origines occidentales, celles de la civilisation grecque en particulier. Nous avons également besoin d'une plus grande culture esthétique. L'enseignement des arts est déficient, notre culture esthétique est déficiente. Nous avons un gros problème esthétique au Québec : nous n'apprécions plus la beauté dans notre architecture, nous sommes devant un paysage de plus en plus laid.

Je pense qu'il faudrait ressortir le rapport de la commission qui avait été présidée par Marcel Rioux sur l'enseignement des arts. Ce rapport a rapidement été mis sur les tablettes, à la différence du rapport Parent. Je crois qu'il faudrait maintenant mettre sur le même pied le rapport Rioux et le rapport Parent, et revenir à l'importance de l'esthétique dans la formation générale et culturelle.

J'inclurais dans l'esthétique la beauté du langage parlé. Par la force des choses, je relis parfois des chapitres du rapport Parent et je relisais récemment le chapitre consacré à l'enseignement de la langue maternelle. Ce qui m'a frappé, c'est que nous disions qu'on devrait consacrer au moins 50 % de l'enseignement du français à la langue parlée et non seulement écrite. Pourquoi ? Parce que la communication orale fait partie de notre vie sociale et de notre mode de pensée.

Au Québec, nous vivons un gros déficit en matière d'expression verbale. Nous n'avons pas de mots. Nous n'avons pas de phrases. Quand j'entends, à la télévision, de braves citoyens parler de l'accident qu'il y a eu chez leur voisin, tout ce qu'ils sont capables de dire, c'est que c'était du bon monde. C'est à peu près tout, ça s'arrête là. Un Français serait capable de faire plusieurs phrases, un

Américain aussi, mais un Québécois n'a pas de phrases. Pourquoi ? D'où nous vient cette lacune ?

La beauté du langage fait partie de la beauté de vivre, comme la beauté d'un paysage. Il faut donc repenser notre culture nationale québécoise de manière à ce qu'elle soit enrichie par ses sources culturelles lointaines et prochaines, mais aussi par le français avec lequel cette culture doit se parler à elle-même. Ce n'est pas tout, la loi 101. Il faudra beaucoup de travail pour revivifier cette langue.

Et pas seulement à l'école ! Car les médias ne nous aident pas... Que ce soit à la radio ou à la télévision, publiques ou privées, j'entends beaucoup trop de mauvais français, d'erreurs, de voix nasillardes. On ne nous a pas appris à parler avec une bonne voix. Ce ne sont pas seulement les anglicismes qui nous affligent, les termes nous manquent aussi.

Il y a un important virage à faire dans les médias et dans tout notre système d'enseignement. Déjà, on vient de hausser les exigences en français pour les futurs enseignants des facultés des sciences de l'éducation ; c'était important de le faire. Pour revaloriser notre système d'enseignement, il faut revaloriser le personnel enseignant. Un des succès de la Finlande, c'est d'avoir rendu l'accès aux facultés des sciences de l'éducation difficile. Ici, c'est trop facile d'entrer dans les facultés des sciences de l'éducation, parce qu'on n'y exige pas suffisamment de culture, d'intelligence, d'esprit critique, de capacité d'analyse et de synthèse.

Au fond, quel doit être le grand objectif de notre système d'éducation ? C'est d'être un enseignement de masse en même temps qu'un enseignement capable de répondre aux besoins, aux goûts et aux aptitudes de chacun. Voilà un immense défi parce que les élèves et les étudiants, que ce soit à l'école primaire ou à l'université, ont des aptitudes et des goûts très variés.

Je compte beaucoup sur les jeunes. Je vois arriver une nouvelle génération d'étudiants au cégep et à l'université, et je dis à mes collègues : « Faites attention à ces jeunes, ils sont dangereux!» Je ne disais pas ça à chaque cohorte, bien au contraire. Mais maintenant je vois arriver une jeunesse militante avec des idéaux de changement social. Ces jeunes-là sont encore minoritaires, mais ils sont tenaces.

Ce que j'ai admiré dans ce qui s'est passé au printemps 2012 au Québec, c'est l'extraordinaire ténacité des étudiants et leur sens démocratique qui devrait servir de leçon au reste de la société. Cette démocratie, malheureusement, a été bafouée par le gouvernement, les tribunaux et les administrateurs. C'est très grave. Le milieu étudiant est un des rares lieux de démocratie authentique.

J'entendais des gens dire : «Mais pourquoi ne votent-ils pas avec des moyens électroniques?» Ce n'est pas ça, la démocratie. La démocratie, c'est la discussion. Qu'est-ce que c'est que cette idée de faire un vote avec des moyens électroniques? Ce que je trouve important, c'est que des centaines d'étudiants se réunissent dans des salles, qu'ils se parlent, qu'ils décident ensemble et que, finalement, ils votent à main levée.

Je dirais que notre système démocratique politique est bien loin de la démocratie étudiante. Nous ne sommes pas un modèle pour la démocratie étudiante ; elle est un modèle pour nous. C'est une génération qui arrive avec un vrai sens de la discussion.

Les associations étudiantes sont une singularité du Québec. Dans les autres provinces canadiennes, on n'a jamais connu, on ne connaît pas l'importance de ces associations étudiantes comme on la connaît ici. C'est une tradition qui remonte à avant la Révolution tranquille. On a commencé, dans les années 1950, après la Deuxième Guerre mondiale, à instituer des associations étudiantes dans les collèges classiques et à l'université : l'AGUM à l'Université de Montréal, l'AGUL à l'Université Laval, etc. C'étaient des institutions vraiment démocratiques où on votait et où on élisait nos exécutifs. Pour moi, il y a là un espoir parce qu'arrive cette génération qui, pour une partie en tout cas, veut changer les choses.

Ianik Marcil
Économiste

La croissance économique est basée sur trois choses : la démographie (on peut produire davantage si on est plus nombreux), l'extraction de ressources naturelles et l'innovation. Il n'y a pas cinquante-six causes à la croissance, à l'enrichissement et au développement économique d'une société ; c'est toujours une de ces trois-là. Les deux premières, on y peut peu de choses, à part les mesures d'immigration ou les investissements pour aller chercher les ressources. Dans le cas de la troisième – l'innovation –, il n'y a que l'éducation qui la permette.

Il y en a une quatrième, mais elle est moins consensuelle parmi mes confrères. C'est la redistribution du revenu, qui, elle aussi, permet un enrichissement collectif. Quand tout le monde est plus riche globalement, il y a plus de consommation, et ainsi de suite. Dans ce cas-là aussi, c'est l'éducation qui permet cette redistribution « naturelle » : quand on est éduqués, on a de meilleures jobs, on a une mobilité sociale, on peut passer d'une classe à l'autre.

Parce que l'éducation permet l'innovation et parce qu'elle permet aussi – c'est ma prétention – une meilleure justice sociale, c'est probablement le levier le plus important d'un État en matière de développement économique à long terme. On oublie parfois, dans notre débat politique, que c'est à peu près un des seuls leviers dont les provinces ont le contrôle total, ou presque. L'État et l'ensemble de la communauté peuvent organiser l'éducation comme ils l'entendent au Québec, alors que ce n'est pas le cas dans à peu près tous les autres domaines de la vie sociale et économique.

Dans ce cadre-là, je pense qu'on a besoin d'intégrer, de décloisonner l'éducation des autres questions sociales et économiques. On ne doit pas considérer l'éducation en vase clos, de même qu'on ne doit pas, à l'intérieur même de l'éducation, traiter en vase clos le primaire, le secondaire, le cégep et l'université.

Tout est lié – l'éducation, l'économie, etc. –, mais les divers secteurs se parlent rarement, sauf quand, par exemple, un cégep décide de créer un programme en relation avec une industrie locale ou régionale.

C'est la même chose avec les services sociaux. C'est hallucinant que, dans les quartiers, les intervenants sociaux et ceux de l'éducation ne se parlent pas. Oh, ils se parlent à des tables de concertation, ce genre de belles choses très complexes, mais travailler de façon intégrée, ça ne se fait pas.

On a besoin que tout ce beau monde se parle un peu, qu'il y ait une vision intégrée, que le premier ministre surveille trois portefeuilles : les finances, la santé et l'éducation. *That's it.* C'est démontré par des milliards d'études qu'une société éduquée est en meilleure santé.

Je ne pense pas que le Québec soit le seul à avoir ce genre de problème. On n'est pas particulièrement mauvais, ce n'est pas ce que je dis. Mais je pense qu'on a la chance – puisqu'on a beaucoup de contrôle sur la question de l'éducation – d'en faire quelque chose de mieux.

Ce décloisonnement doit se faire à tous les niveaux. C'est aberrant que, de la prématernelle au postdoctorat, il n'y ait aucune intégration, aucune cohésion. C'est débile que, du cégep à l'université, le monde ne se parle à peu près pas. Les universités donnent leurs critères, et les cégeps s'ajustent sans qu'il y ait de vision intégrée.

C'est ce qui fait qu'on a un paquet de problèmes de décrochage. On parle beaucoup du décrochage au secondaire, mais le décrochage à l'université est un gros problème. Tu te garroches au cégep, à l'université sans trop savoir où aller… On l'a tous fait, même ceux qui sont bien nantis socioéconomiquement. On essaye, on y va… Pourquoi ? Parce qu'il n'y a pas de logique.

Je ne dis pas qu'il faut faire un plan de carrière dès la première année du primaire, loin de là. Mais il n'y a pas d'intégration logique de tout ça, pas de mouvement vers quelque chose d'autre qu'«attendre une job».

Madeleine Thibault

Enseignante retraitée s'étant spécialisée
dans le soutien aux élèves en situation de grande
difficulté d'adaptation et d'apprentissage

Le Québec a besoin d'une réflexion en profondeur sur ce que la société veut comme système d'éducation, donc peut-être des états généraux

Le système d'éducation est très complexe ; il y a un ensemble d'éléments qui sont responsables de la santé du système d'éducation. Parmi ceux-là, il y a le milieu familial, où l'enfant reçoit de la part de ses parents et de ses proches les bases de son éducation. Il y a les CPE, qui, eux, sont responsables de dispenser l'éducation à la petite enfance. Il y a l'école primaire, secondaire, collégiale et universitaire. Il y a l'État, qui joue un rôle fondamental. Il y a la société elle-même, qui, par le truchement des entreprises notamment, joue aussi un rôle.

Parmi tous ces éléments, il y a selon moi deux grands pôles : la famille et l'État. C'est dans la famille d'abord que l'enfant puise ses premiers apprentissages, et surtout son goût d'apprendre et son besoin de dépassement. C'est dans sa famille que l'enfant commence à construire son identité. La valorisation de ses apprentissages, de ses différents savoirs – ce qu'on appelle les savoirs, les savoir-faire et les savoir-être – prend naissance dans la famille. Les enfants qui ne reçoivent pas cette valorisation-là ne peuvent pas démontrer le même intérêt que les autres dans leurs apprentissages à l'école. Il leur manque souvent l'encadrement, le soutien, le coup de pouce qui fait la différence.

L'école, sans soutien de la famille, aura bien de la difficulté – ce n'est pas impossible, mais ce sera difficile – à rejoindre l'enfant. Les plus beaux programmes de cours, quels qu'ils soient, n'ont pas la même portée chez un enfant qui vient d'une famille dysfonctionnelle ; c'est à peu près impossible d'avoir le même succès.

La famille est donc essentielle, mais l'État joue un rôle primordial également. C'est l'État qui établit la structure même du système d'éducation : le nombre d'années que comptent le primaire, le secondaire, la présence ou non d'un réseau collégial, et comment tout ça va fonctionner. Ainsi, dans le système anglophone, on n'a pas de collèges ; il y a un secondaire plus long, avant l'université. C'est l'État qui choisit ça. C'est l'État qui va décider si les commissions scolaires vont continuer d'exister. C'est l'État qui reconnaît les établissements publics ou privés et qui leur accorde des subventions. C'est l'État qui décrète ce que seront la formation des maîtres et les exigences relatives à l'engagement des enseignants. C'est l'État qui négocie les conventions collectives avec les employés en éducation : les enseignants, les cadres, les professionnels, etc. L'État définit les cursus scolaires et les contenus des différents programmes de cours.

Donc, deux grands pôles : la famille et l'État. Mais la société est importante dans la santé de l'éducation. Une société prospère réduit la pauvreté et augmente les chances de réussite des enfants. Aussi, la société, à son tour, peut aider les écoles à former les jeunes. Par exemple, on a vu, dans certaines régions, des entreprises fournir de la machinerie à des collèges pour préparer directement les jeunes à venir occuper des emplois. C'est très bien, la société doit dire au système d'éducation de quoi elle a besoin. Avec l'avancement des technologies numériques notamment, la société doit indiquer comment former les jeunes et comment ne plus les former. Il doit y avoir une interaction importante : la société n'a pas tout à attendre de l'école, elle doit signaler ses besoins et permettre à l'école d'évoluer avec le marché du travail.

J'ai parlé de la famille, de l'État, de la société, mais reste le cœur, l'école elle-même. C'est là que se jouent les grandes lignes de la formation. De quelle sorte d'écoles le Québec a-t-il besoin ? Il a besoin d'une école ouverte, accueillante pour les enfants et pour leurs parents ; une école ouverte sur le monde et sur la société qui l'entoure, ouverte aux grands enjeux internationaux de l'heure.

On a besoin d'une école compétente, bien gérée par des personnes préoccupées par le bien-être et la réussite des enfants; une école compétente avec des enseignants judicieusement formés et qui aiment les jeunes; une école compétente par sa capacité d'adaptation à sa population scolaire et aux besoins de celle-ci, ce qui peut varier d'un quartier à l'autre ou d'une classe à l'autre à l'intérieur de la même école; une école compétente qui va amener les jeunes à être responsables de leurs apprentissages. On a besoin d'une école dynamique, avec une vision, capable d'amener son personnel et ses élèves à se dépasser.

Le Québec n'est pas totalement dans le champ, mais il est normal – et même essentiel – de se poser des questions si on veut avancer. Est-ce que notre système d'éducation est celui dont nous avons besoin? Les enfants apprennent-ils ce qu'ils doivent apprendre? Le cadre dans lequel se font les apprentissages est-il le meilleur pour eux? La société bénéficie-t-elle pleinement des talents développés et des connaissances acquises? La force vive ainsi créée permet-elle au Québec d'évoluer, de construire une société juste, équitable et – pourquoi pas? – riche en ressources de toutes sortes? Quand nous pourrons répondre affirmativement à toutes ces questions, je pense qu'il ne nous manquera pas grand-chose.

Les parents doivent être des partenaires de l'école: par le conseil d'établissement, par les comités d'école, etc. Il y a beaucoup d'écoles où les parents sont invités à faire du bénévolat, à être présents lors d'activités; ces écoles sont complètement ouvertes. Le lien doit se faire, l'école doit elle-même donner aux parents les moyens de comprendre qu'ils sont les bienvenus. Quand on dit «bienvenus», il ne s'agit pas seulement de visiter l'école, mais aussi d'apporter leurs idées et de signaler leurs besoins. De son côté, l'école doit faire savoir aux parents ce qui va ou ce qui ne va pas.

Les parents doivent être sensibilisés à l'importance de leur rôle. Par exemple, il y a des parents qui pensent que l'école est tellement compétente qu'elle peut tout réussir. Ils laissent leur enfant là et pensent que l'école va passer à travers tout, mais ce n'est pas nécessairement vrai. C'est le rôle de l'école de dire aux parents quel est leur rôle à eux, de leur dire ce qu'on attend d'eux, ce à quoi on s'attend quand on parle de soutien durant les devoirs, par exemple. Soutenir l'enfant, ce n'est pas faire le devoir à sa place ! C'est à l'école de dire aux parents ce que, à la fin de l'année, l'enfant devrait savoir. S'il n'y arrive pas, il y a probablement quelque chose à faire pour qu'il y arrive. L'école doit travailler avec les parents ; les parents doivent se rendre aux rencontres d'école. Ce n'est pas évident parce qu'il y a de plus en plus de familles monoparentales, de familles dysfonctionnelles. Dans certains cas, on se heurte à des problèmes culturels ou de langue, surtout à Montréal, mais pas exclusivement. En région, il y a d'autres genres de problèmes, moins connus, mais tout aussi graves.

Parfois, les parents ne sont pas intéressés, mais parfois ils ont eux-mêmes vécu de multiples échecs scolaires, et l'école représente pour eux quelque chose de négatif, l'école leur fait peur. Souvent, ils aiment mieux rester à l'écart que de s'impliquer. Ils craignent de revivre leurs échecs à nouveau, à travers leur enfant. Tous les jeunes qui ont décroché auront un jour des enfants à leur tour. Ça devient un énorme problème.

Ce qu'il manque dans l'éducation au Québec, ce sont des pédopsychiatres. Actuellement, si l'école est dépassée, ce n'est pas parce que les gens qui y travaillent sont incompétents. Nous avons des enseignants extraordinaires, dévoués, qui adorent les enfants et les jeunes en difficulté, qui remuent ciel et terre pour eux, qui sont d'une patience exemplaire ; des personnes compétentes, des professionnels, des psychologues, des équipes de techniciens en éducation spécialisée qui sont absolument merveilleux. Tous ces gens-là sont à l'œuvre tout le temps, mais les enfants ont de plus en plus de problèmes psychiatriques, et il n'existe presque pas de pédopsychiatres au Québec; il y a des listes d'attente incroyables. Un des seuls moyens d'arriver à voir un psychiatre, c'est d'être en crise et de se retrouver à l'urgence d'un hôpital.

Un enfant de quatorze, un jeune adorable, s'est un jour retrouvé dans mon bureau. Il pleurait et me disait : « Madame Thibault, quand je suis en crise, je suis incapable de me contrôler. Je ne sais pas ce qui m'arrive. Je veux tout casser et je ne sais pas quoi faire. Je le sais qu'il ne faut pas que je fasse ça, je le sais que ce n'est pas bien... » Le problème était tellement gros que, moi non plus, je ne savais pas quoi faire.

Ce sont parfois des enfants qui sont déjà médicamentés, et c'est souvent l'école qui administre les médicaments le matin parce que le jeune ou les parents ont oublié. C'est l'école qui devient responsable... Des fois, j'entrais dans une classe – où il pouvait y avoir six, sept élèves –, et un jeune était littéralement en train de grimper sur les tables. Son enseignante me disait qu'il n'en avait que pour quelques minutes puisqu'il venait de prendre ses médicaments, que tout à l'heure il allait être calme et capable de se mettre à travailler. C'est extrêmement difficile d'enseigner dans ces conditions. Et quand je dis « enseigner », je parle d'enfants de quatorze, quinze, seize ans qui apprennent des notions de troisième, quatrième année du primaire...

Ces enfants viennent souvent de milieux dysfonctionnels, de milieux où il y a de l'alcool, de la drogue, de la prostitution, de la violence, de l'abandon... Certains enfants que j'ai connus n'avaient aucun modèle de travailleur dans leur entourage. L'oncle, le voisin, etc.; personne n'avait un emploi! Pour ces enfants-là, vivre de l'aide sociale, c'est normal puisque tout le monde autour vit de l'aide sociale. Ces enfants-là ne se voient pas vivre autrement que sur l'aide sociale. Ils ne se projettent pas dans un avenir meilleur puisqu'ils n'ont pas de modèle, à part l'école et les enseignants qui sont là.

Est-ce qu'on a raté le bateau? Quand j'ai quitté l'enseignement, c'était avec un grand sentiment d'impuissance et de tristesse. Parfois, des parents sortaient de mon bureau avec leur enfant, et la réflexion que je me faisais, c'était : «Pauvre enfant...» Certains parents sont tellement démunis... On peut se dire qu'on a fait les bonnes choses, mais les parents eux-mêmes sont dans une telle détresse que c'est difficile de garder espoir.

C'est triste parce qu'on voudrait faire beaucoup plus. Je le répète, on a énormément de gens bien formés, compétents, mais les problèmes nous dépassent. Les problèmes de santé mentale sont extrêmement importants, de plus en plus nombreux, et ils touchent des enfants de plus en plus jeunes, des enfants du primaire.

Mario Asselin

Ancien directeur d'école, candidat de la Coalition avenir Québec
aux élections provinciales de septembre 2012

Le premier mot qui me vient, c'est «enthousiasme». Pour moi, c'est ce dont on a le plus besoin en éducation. C'est de se réactiver avec une espèce d'espérance psychique qu'il y a des choses à faire et qu'on peut les faire.

Toute ma vie, chaque fois que j'étais dans mon auto, aux portes de l'école, je me suis fait un devoir d'être enthousiaste. Il n'y avait pas de question du genre : «Est-ce que je suis enthousiaste?» C'était : «Je dois l'être!»

Les jeunes ont absolument besoin d'avoir devant eux des gens enthousiastes, ils carburent à cet enthousiasme-là. Si tu te présentes en éducation sans vibrer, tu as déjà deux prises contre toi. En ce moment, il y a une certaine morosité, une certaine lassitude, une certaine impression d'être arrêté, alors c'est réellement d'enthousiasme que nous avons besoin.

Mais est-ce suffisant? Il faut quand même réussir à faire émerger la passion, la curiosité de vouloir connaître, de vouloir en savoir plus et, surtout, de vouloir savoir comment savoir…

Ainsi, ce dont on a besoin en éducation, selon moi, c'est être de bons poseurs de questions, de meilleurs poseurs de questions que des donneurs de réponses. C'est comme ça que j'ai réussi à faire naître l'enthousiasme et à rendre les jeunes avides de connaître.

Je me souviens d'avoir rencontré une gang d'enseignants de première année. Je leur avais demandé : «Qu'est-ce que vous ne pouvez pas faire en ce moment, mais qui, si vous le pouviez, vous donnerait un bon coup de main?» Ils m'avaient répondu : «Ce serait bien que les parents puissent entendre ce qu'on dit aux enfants dix minutes avant la fin de la journée. On a un gros problème en première année : les enfants ne sont pas capables d'écrire, surtout au début de l'année. Alors les consignes qu'on donne ne se rendent pas aux parents. Les enfants reviennent le lendemain matin très inquiets parce qu'ils ne sont pas trop sûrs de ce qu'ils avaient à faire et s'ils l'ont fait correctement. Et il y a plein de parents qui nous regardent avec inquiétude en se demandant s'ils ont bien fait, s'ils ont bien accompagné leur enfant.»

Ces profs-là ont retrouvé leur enthousiasme quand je leur ai proposé qu'on trouve une façon d'y arriver. On a passé deux heures à chercher, et ce sont eux qui ont trouvé. Il y avait des lignes téléphoniques à l'école, et les profs les ont transformées en boîtes vocales où, à trois heures et demie, ils enregistraient un message. Ainsi, les parents de chaque classe avaient accès à une ligne privée pour connaître les consignes du professeur. Le message pouvait même être enregistré devant les enfants pour qu'ils comprennent que, en arrivant à la maison, leurs parents pouvaient appeler et se référer au message du prof.

Comme directeur, si j'étais arrivé et que j'avais dit: «O.K. Dorénavant, ça va marcher de même. Dans vos tâches, vous allez rajouter telle affaire…», ça n'aurait jamais fonctionné. Mais parce que ça venait des profs eux-mêmes, parce qu'ils étaient enthousiastes, ça a révolutionné notre communication avec les parents.

De l'enthousiasme, il y en a eu durant la période de la réforme… Il y en a eu dans les syndicats quand ils faisaient leur procession avec les nouveaux programmes de formation dans le cellophane, pas ouverts, et qu'ils paradaient pour aller les porter dans le *container*. Ils étaient enthousiastes, mais pas du tout dans le même axe que le ministère…

Mais ce n'est pas à ce niveau-là que ça doit se jouer. C'est ce qui se passe dans la classe qui compte. C'est d'ailleurs pour ça que, depuis de nombreuses années, je prône l'école autonome. Dans ma carrière, chaque fois que je demandais à un parent: «Pourquoi vous envoyez vos enfants ici? Pourquoi vous aimez cette école?», on me parlait de la capacité d'adaptation, de la vitesse de réaction, du fait d'avoir des relations de proximité et à long terme avec les profs, de la possibilité de prendre des décisions sans avoir besoin de toujours demander à quelqu'un d'autre.

Je pense que l'école, en général – qu'elle soit publique ou privée –, doit avoir les leviers pour changer ce qu'elle veut changer. Les profs revendiquent également cette capacité d'agir : avoir de la latitude dans leur enseignement, avoir accès à du matériel, être aidés et soutenus dans leurs démarches.

Maryse Perreault

*Conseillère politique au ministère du Travail, de l'Emploi
et de la Solidarité sociale, ancienne présidente-directrice
générale de la Fondation québécoise pour l'alphabétisation*

Le Québec a besoin que l'éducation devienne sa priorité. Là, maintenant. On a besoin d'une deuxième révolution. Tranquille, peut-être, mais révolution néanmoins. La société étant ce qu'elle est, on laisse de plus en plus de gens sur le bord de la route. Comme peuple minoritaire historiquement pauvre et opprimé, nous avons dans notre inconscient collectif un héritage néfaste : l'éducation, ce n'est pas pour nous. Nous avons fait des avancées formidables depuis une cinquantaine d'années, mais cette mentalité est encore bien présente au sein de la moitié de la population.

Les gens qui ont des problèmes en lecture au Québec, c'est 49 % de la population active. C'est 53 % de la population adulte, si on compte les gens de soixante-cinq ans et plus. C'est énorme !

L'alphabétisation en 1980, c'était une chose... Mais, en 2012, on demande aux gens d'avoir des habiletés de lecture qui permettent de traiter l'information, de lire et de comprendre simultanément. Il y a 49 % des Québécois qui ne réussissent pas à le faire. Ce ne sont pas que des personnes âgées, il y a des gens de tous âges. La moitié d'entre eux travaillent et ont moins de quarante-six ans. C'est dangereux en matière de prospérité économique, de productivité et de standards de vie. Ce n'est pas un taux marginal !

Le mot *alphabétisation* gêne aux entournures ; il faut qu'on s'en débarrasse parce qu'il permet à ceux qui ont des problèmes de se dire : « Mais je ne suis pas analphabète ! » O.K., mais on va te demander d'être bien plus qu'alphabétisé dans ton futur emploi, si tu perds ta job chez Electrolux ou chez Mabe.

Ce sont ces gens-là qu'on laisse sur le bord de la route. L'appauvrissement de la classe moyenne, qu'on observe depuis une quinzaine d'années, vient aussi de là : des gens qui avaient de grosses jobs chez GM, etc. Les décrocheurs d'il y a vingt ans avaient accès à des emplois de qualité et bien payés dans le secteur manufacturier ; ils font partie de la classe moyenne. Aujourd'hui, ils se retrouvent avec des jobs au salaire minimum, s'ils ont la chance de se trouver du travail… Ils ne sont pas préparés à ça puisque, jusqu'à maintenant, ils avaient été relativement protégés. Mais la société a changé. Nous vivons une crise sociale importante, dont nous sommes, pour la plupart, assez inconscients.

Cette réalité nouvelle existe au Québec, mais aussi dans tous les pays occidentaux postindustriels, à ce détail près que le vieillissement de la population du Québec se compare à celui du Japon. Voilà qui entraîne une difficulté et une urgence supplémentaires. Si on additionne à ça le décrochage scolaire, nous voyons réunis tous les ingrédients d'une tempête parfaite, mais on fait comme si de rien n'était.

On met les gens sur des listes d'attente. On ne prévoit rien pour ceux qui perdent leur job. On entend sur les tribunes téléphoniques des gens dire : « Ah, avec le Plan Nord, on n'aura plus de main-d'œuvre disponible pour le petit commerce et l'économie locale. Les décrocheurs seront bien pratiques ! »

Le Plan Nord, c'est encore des emplois dans la plus belle acception d'« emplois de l'ancien temps » : l'extraction des matières premières surtout, et d'autres emplois à moyen niveau de connaissances. Ce n'est pas comme ça qu'on va créer une main-d'œuvre à valeur ajoutée !

C'est, de plus, un secteur très vulnérable. Si la Chine ou les pays du BRICS (Brésil, Russie, Inde, Chine et Afrique du Sud) décident du jour au lendemain de se replier sur la consommation intérieure, comme la Chine prétend vouloir le faire, que vont devenir nos mines du Nord ? Sans oublier qu'elles coûtent très cher. Ce sont des résidus de minerai qu'on ne voulait pas exploiter auparavant, mais là, tout d'un coup, c'est : « Par ici la bonne soupe, les

Chinois en demandent!» Mais pour combien de temps?
Et la main-d'œuvre qui ira dans le Nord, on en fera quoi,
après? Sans compter les impacts sociaux et économiques...
On n'a pas entendu un seul ministre critiquer cette idée.
Le Plan Nord, est-ce un plan d'avenir?

L'éducation devrait être la priorité. Actuellement, ce
n'est pas le cas. Il faut arrêter de se conter des histoires...
Et dans le domaine de l'éducation des adultes, il devrait y
avoir un virage majeur.

Maxime Mongeon
Auteur, éditeur et coordonnateur de services éducatifs

Le Québec a besoin de leaders politiques forts. À mon avis, c'est LE problème. Il y avait un projet intéressant, à la suite des états généraux qui ont mené à la réforme de l'éducation, mais le Québec a dérapé.

La démarche consistant à écouter les gens était intéressante. Ça a été fait et ça a été bien fait. Le problème, c'est qu'après on n'a pas terminé le travail : expliquer ce projet à tout le monde, c'est-à-dire aux enseignants, à la population, aux médias... On aurait dû prendre plus de temps. Prendre le temps d'expliquer le projet et être mobilisant. Les leaders ne l'ont pas été. Par la suite, on a mis la réforme en place, et tout a dérivé.

Je vois trois coupables. Commençons avec l'opinion publique et son désir d'avoir des bulletins chiffrés ! Ça a mis de la pression sur les leaders politiques, ils ont manqué de courage et, finalement, ils ont acheté la paix en dénaturant la réforme.

Deuxième coupable : les syndicats. Je crois profondément à l'importance du syndicalisme, mais au Québec, le syndicalisme dans l'éducation est devenu un frein. Un exemple : un syndicat d'enseignants a publié un programme de lecture pour le premier cycle du primaire qui est en opposition au programme ministériel. On se retrouve alors avec des enseignants coincés entre les prescriptions du ministère, la direction de l'école et le syndicat ! Ce n'est pas le rôle d'un syndicat, à mon avis.

Le troisième coupable, ce sont les médias. Quand on a mis en place la réforme, les médias se sont accrochés à des petits détails comme les « compétences transversales » ! La plupart des médias ont ridiculisé la réforme parce qu'il y avait un terme spécialisé ! Comme si l'éducation n'était pas un domaine spécialisé !

Bien sûr, on doit écouter les parents. Ce ne sont pas des spécialistes, mais ce sont les premiers experts en ce qui a trait à leurs enfants. Sauf qu'il peut y avoir en éducation, comme dans n'importe quelle profession, des pédagogues formés qui ont un métalangage, un vocabulaire dont ils connaissent la signification, et quand ça sort dans l'opinion publique, dans un article, on ne devrait pas s'en moquer ! Les médias ont ridiculisé toute la réforme à partir d'un seul terme : *compétences transversales*. Et l'opinion publique a suivi… Ça n'a pas d'allure.

En même temps, avec les médias électroniques et les réseaux sociaux, tout va trop vite. Tout le monde est allumé, tout le temps. Or, on sait qu'un changement en profondeur peut prendre des années, des décennies… Les effets de mode sont démultipliés avec les médias.

L'éducation est un long continuum. Il y a le préscolaire, le primaire, le secondaire, le collégial, l'universitaire, en passant par l'éducation des adultes et la formation professionnelle. Au niveau primaire, ce n'est pas la même chose qu'à l'université. On devrait préserver les enfants en bas âge de la vie adulte, car ils ne sont pas des adultes.

Au primaire, on devrait tout simplement enseigner et protéger les enfants dans le respect de l'égalité des chances, au lieu de les évaluer du premier au dernier. Ils vont vivre ça à l'université, ils vont vivre ça plus tard, quand l'objectif, ce sera de discriminer les personnes les unes des autres pour procéder à l'embauche, pour choisir les compétences en fonction d'un travail. Mais, à sept ans, à huit ans, ça n'a pas sa raison d'être ! On devrait juste dire *succès* ou *échec*. On s'était un peu rapproché de ça avec la réforme, un petit peu, mais on a tout *scrapé* avec le retour des bulletins chiffrés. Maintenant, on a des élèves qui ont 77 % ou 78 %, ce qui ne veut strictement rien dire !

C'est pour ça qu'il faut des leaders politiques forts, pour briser le cycle de la performance à tout prix…

On a modifié en 2000 la Loi sur l'administration publique pour instaurer une gestion dite axée sur les résultats. Après, on a changé la Loi sur l'instruction publique et on a appliqué au monde de l'éducation la même gestion axée sur les résultats.

C'est normal qu'une organisation se demande si ce qu'elle met en place donne des résultats; c'est le propre d'une gestion axée sur les résultats, justement. Mais il y a une confusion, dans le monde de l'éducation, entre l'expression « résultats » obtenus à la suite d'une stratégie et « résultats scolaires ». L'idée est de s'interroger sur l'efficacité des moyens que nous mettons en place pour aider les élèves dans leur développement. Par voie de conséquence, si nos stratégies s'avèrent efficaces, les résultats scolaires des élèves devraient s'en trouver améliorés. Hélas, dans certains milieux, les gens se mettent à dire : « On est dans une gestion axée sur les résultats, on veut des chiffres, des chiffres! On veut des bulletins! Si le ministère de l'Éducation veut des chiffres, ça prend des bulletins, il faut chiffrer les élèves, les mesurer, les comparer; il faut des évaluations standardisées. » Ce n'est pas ça, la gestion axée sur les résultats! Ce ne sont pas des bulletins avec des chiffres! La gestion axée sur les résultats, c'est une gestion du questionnement à l'intérieur d'un processus qui apporte de la rigueur et de la planification.

Il y en a plein de bonnes décisions qui sont prises au Québec. Le problème, c'est qu'on les applique mal ou qu'on cède à la pression. Et là, on dénature, on dénature, puis on dit : « Ça ne marche pas… » Évidemment, ça ne marche pas!

Normand Baillargeon
Essayiste et professeur en philosophie de l'éducation

Penser l'éducation, c'est complexe, c'est vaste. L'Américain John Dewey, probablement le plus grand penseur de l'éducation depuis Platon ou Rousseau, disait que dans l'éducation se jouait toute la pensée philosophique. L'éducation est un bien qui a une importance politique, et pour avoir une vision claire de l'éducation, il faut avoir une idée politique de la distribution des biens. Puisqu'on se targue de transmettre des savoirs, il faut aussi avoir une idée de ce que c'est que le savoir !

Mon travail s'inscrit dans la philosophie, je suis un philosophe de l'éducation, et je trouve qu'il nous manque une vision claire de ce qu'est l'éducation. Les philosophes peuvent jouer un rôle pour préciser notre compréhension de ce concept.

Très souvent, je commence mon cours en disant à mes étudiants : «Rédigez-moi une page sur ce que vous entendez être l'éducation.» À la fin de mon cours, je leur remets leur texte, et il y en a qui ne veulent même pas le relire tellement ils sont gênés. On a tous spontanément une idée de ce qu'est l'éducation, mais quand il s'agit de la fouiller, on se rend compte qu'il y a là un réseau de concepts compliqués.

Une des choses qui nous fait défaut donc, c'est une conception claire de ce que c'est que l'éducation et de ce qui la distingue d'autres choses avec lesquelles il est aisé de la confondre. Par exemple : socialiser les gens. C'est bien de socialiser les gens ; l'école peut jouer un rôle là-dedans, mais ce n'est pas ça, éduquer les gens. Ensuite : moraliser. Même si c'est possible – c'est une question vaste, mais à supposer que ce soit possible ; il y a sûrement des raisons de penser que ce l'est –, moraliser, ce n'est pas éduquer non plus. Je pense qu'être capable de faire la distinction entre «socialiser», «moraliser», «qualifier» – parce qu'on s'attend à ce que le système scolaire donne des emplois aux gens – et «éduquer» en précisant de quoi il retourne en éducation, avoir un idée claire de ce qu'on vise avec cette pratique dans laquelle on investit tellement de temps, d'argent et d'énergie, ça pourrait nous aider.

Je suis un enfant du Siècle des lumières et je crois qu'on devrait concevoir l'éducation comme étant l'émancipation individuelle par l'acquisition de savoirs. Éduquer des gens, ça signifie mettre leur esprit en contact avec des savoirs, leur donner une formation intellectuelle qui vise à les émanciper. Je pense que ça s'inscrit aussi dans un projet politique parce que, une fois que les sujets sont instruits, éduqués comme je l'entends, ils ont un type de lien politique entre eux qui est extrêmement précieux, ils ont une vision de leur avenir collectif, du progrès, de l'émancipation collective.

Je défends un idéal qu'on appelle «libéral», pas au sens politique habituel du Parti libéral du Québec ou du Canada, mais au sens de «qui libère», un idéal libérateur, émancipateur, par la mise en contact des esprits avec des savoirs. Ça, c'est le nœud de l'éducation. Il ne s'agit pas simplement d'acquérir des savoirs pour les répéter. Il s'agit de nous transformer par l'acquisition de ces savoirs, d'élargir notre vision du monde, d'avoir des perspectives cognitives, d'être capables de mettre en relation nos savoirs et d'avoir le souci des normes internes aux savoirs. Tout ça fait partie de ce que j'entends par «éducation», et c'est là-dessus qu'on devrait se recentrer.

Avoir une vision claire de ce que c'est que l'éducation nous permettrait d'éviter de sombrer dans certaines dérives. Ainsi, demander à l'école de qualifier les gens pour le marché du travail est une forme de réductionnisme économique que des centres de commerce pourraient prôner. Or, ça nous éloigne de l'éducation.

Avoir une vision claire de ce que c'est que l'éducation nous permettrait aussi de prévenir des dérives comme l'endoctrinement. Quand les producteurs de porc entrent dans les écoles et font de la propagande, on est dans l'endoctrinement ! C'est le contraire de l'éducation. On le voit clairement si on a une bonne idée de ce que c'est que l'éducation et si on comprend bien les concepts qui sont liés à l'éducation : le savoir, l'endoctrinement, le cursus, la pensée créative, etc.

Avoir une vision claire de ce que c'est que l'éducation nous éviterait aussi de sombrer dans les slogans. Le monde de l'éducation est rempli de slogans souvent extrêmement creux. En ce moment, au Québec, on surthéorise abusivement l'éducation physique. C'est bien qu'à l'école on fasse de l'éducation physique, mais on n'a pas besoin d'y ajouter une série de concepts fumeux !

Avoir une vision claire de ce que c'est que l'éducation nous éloignerait enfin des dérives formalistes. Entre autres cette idée que, puisqu'Internet existe, on n'a plus besoin de transmettre des savoirs, qu'il faut seulement savoir comment accéder aux savoirs, comment les trouver...

Je pense que la philosophie a un rôle central à jouer ici. Il faut clarifier les concepts : Qu'est-ce que c'est que l'éducation ? Qu'est-ce qu'on attend de l'éducation comme société ? En quoi « éduquer » se distingue de « socialiser », « moraliser » ou « qualifier » ? Quelles sont les valeurs que porte l'éducation ? Quels sont les concepts qui l'entourent ? Comment faire en sorte que l'éducation ne soit pas confondue avec des choses comme l'endoctrinement ? Quand on en aura une vision claire, on aura fait un grand pas.

On pourrait s'attendre à ce que de futurs enseignants du primaire et du secondaire aient des soucis très pratico-pratiques par rapport à leur métier : Comment gérer une classe ? Comment appliquer un programme ? Comment faire passer un exercice ? Comment évaluer ? Comment pondérer les moyennes ? Je leur enseigne quant à moi des théories philosophiques de l'éducation, et contrairement à ce qu'on peut penser, quand on leur propose ça, les futurs enseignants en redemandent. Ils en voient l'importance.

Au Québec, quand on a mis en place la réforme de l'éducation, on y a intégré des choses comme les «compétences transversales», dont l'existence même est douteuse aux yeux des sciences cognitives. On inclut, parmi les compétences transversales, la préparation à l'entreprenariat! Chez des enfants de six, sept ans! Il faut avoir perdu de vue ce que c'est que l'éducation pour fonctionner ainsi, il faut avoir accepté le discours ambiant sur la nécessité de développer du «capital humain». Ce sont des confusions conceptuelles qui ne peuvent se régler que par une clarification conceptuelle.

Robert Bisaillon

Ex-enseignant et ancien sous-ministre adjoint de l'Éducation

On vit actuellement des phénomènes d'exclusion créés par le système, mais on prétend en même temps que l'école est pour tous. Il y a des malentendus qu'il faut clarifier. À quoi sert un système d'éducation? C'est un levier puissant que la société se donne, à travers l'État, pour libérer les jeunes de l'ignorance, pour mettre en œuvre leur potentiel et, surtout – ce bout-là fatigue beaucoup de gens –, pour leur donner les compétences dont ils vont avoir besoin pour prendre des décisions... Ce n'est pas du tout la même chose qu'à l'époque où j'ai étudié, où on était formé pour reproduire des comportements précis.

Nous avons un problème de compréhension commune. Dans le même parti politique, on peut voir trois ministres qui ont des conceptions complètement différentes du rôle de l'État, du rôle de l'éducation.

J'ai été en contact avec treize ministres de l'Éducation soit en tant que leader ou négociateur syndical, soit à titre de conseiller et, ensuite, dans un rôle de sous-ministre, et j'ai commencé à modéliser ce qui s'est passé au Québec depuis quarante ans. Mon premier constat – je caricature un peu, mais à peine –, c'est que le Parti québécois a fait des politiques (notamment linguistiques et relatives à l'éducation et à l'aménagement du territoire) et que le Parti libéral les a gérées, les a gossées. Il n'y a rien de fondamental qui est sorti du Parti libéral, lequel s'est contenté de défaire, morceau par morceau. Contrairement au PQ, où le caractère social de l'éducation est important, pour le Parti libéral, c'est le côté «client» qui est important.

La seconde chose qui me frappe, c'est qu'il y a eu depuis quarante ans trois vagues de réforme au primaire et au secondaire. On fonctionne sur le mode «action-réaction» alors qu'on devrait commencer par se demander quelle est la durée idéale d'un programme.

Quand j'ai commencé à enseigner au secondaire, nous avions les programmes-cadres (plus «cadres» que «programmes», soit dit en passant). C'était l'époque des stencils, et on engageait des profs par téléphone. La personne qui enseignait la chimie à mon école ne parlait pas un mot de français. Il manquait de profs dans les régions, et c'est parti sur les chapeaux de roues! Cette improvisation a créé tellement de disparité entre les écoles des différentes régions que, quand le PQ a pris le pouvoir, on s'est rendu compte qu'on ne savait pas quel était le véritable niveau de performance des élèves.

Alors on a changé du tout au tout avec les programmes par objectifs: trois mille objectifs au primaire et au secondaire! On a découpé la matière en petits morceaux. J'étais enseignant au primaire à cette époque et je peux affirmer qu'il n'y a pas 50 % des profs qui avaient lu au moins 50 % de ces programmes-là. C'était la dictature du manuel, des tests objectifs, du *testing*, etc. Des modes d'évaluation qui nous viennent de l'armée américaine! C'est à ce moment-là que les profs ont vraiment commencé à devenir des techniciens. Et ils le sont restés, à mon avis.

Enfin, avec la troisième vague, les programmes par compétences, qui ne sont pas appliqués, on pose la question du rôle de l'école, du rôle du prof.

Il y a une tension constante dans le système, c'est la tension entre l'idéologie de l'école de la souffrance contre celle du bonheur. Il y a des tenants, au Québec comme ailleurs, de «l'école, il faut que ce soit dur». À l'opposé, il y a l'école du bonheur, qui est plus celle de l'enfant sauvage de Jean-Jacques Rousseau; il faut suivre l'élève, l'accompagner sans contraintes. C'est ce qu'on reproche beaucoup à la réforme…

Quand j'ai enseigné au primaire, j'étais fasciné de voir qu'en première et deuxième années on permettait tout aux enfants. «Il est tellement *cute*! Pauvre ti-pit!»

Mais en sixième année, on se faisait dire : « Heille, ton délinquant... » Et c'était le même p'tit gars !

On ne devrait jamais faire de compromis sur les exigences, mais il faut être présent. Il faut être présent tout le temps. C'est très dur pour le corps enseignant, pour l'ensemble du personnel et pour les parents, mais on ne peut pas être exigeant envers les enfants si on ne l'est pas envers soi-même.

Un autre problème, c'est qu'on fait porter à l'éducation la responsabilité de contrebalancer les difficultés individuelles des enfants, souvent attribuables à leur origine sociale. On dit que 30 à 50 % des attitudes, des comportements et donc de la réussite d'un élève sont en corrélation avec son statut social. Le reste, ce sont des effets de contexte : ça dépend du prof, de l'école, des parents, etc. Mais ce que les sociologues appellent le « capital culturel », avec lequel les jeunes arrivent à l'école, c'est l'origine sociale, et ça entraîne très souvent un déficit de rendement scolaire.

Il y a un malentendu quant à la philosophie éducative qu'on promeut. Une philosophie éducative ne peut pas tenir dans un débat sur les bulletins et les tableaux interactifs. Quand on a écrit *L'école : tout un programme. Prendre le virage du succès*, la philosophie éducative n'a pas été mise en doute. C'est seulement quand le programme est sorti que ça a éclaté de toutes parts. À mon avis, les programmes sont conformes à la philosophie, mais peut-être qu'il y a un malentendu sur la philosophie. J'ose prétendre qu'il y a un malentendu sur la philosophie de l'école.

Par ailleurs, l'école québécoise a besoin d'un style de profs et d'une culture professionnelle qui n'existe pas chez les enseignants. Les enseignants se définissent par leurs conditions de travail, et les syndicats y tiennent beaucoup, mais cette approche du métier en a phagocyté toute la noblesse. On ne se demande pas de quel genre de profs on a besoin, et c'est dramatique parce que les enseignants n'ont pas tous l'élévation et la culture nécessaires à l'exercice de cette profession.

Enfin, il faut se défaire de tous les dispositifs qui datent de l'époque industrielle. L'école est la seule institution qui vit encore avec des modèles de 1950. C'est clair pour moi que toute autre organisation qui aurait conservé ces modèles-là serait déjà morte!

Qu'est-ce que la culture générale ?

ou

Que devrait savoir un jeune en sortant du secondaire ?

Camil Bouchard
Psychologue, ex-député

La culture générale est ce qui nous permet de nous interroger sur ce que nous vivons, de contribuer à une analyse critique de notre société, de notre communauté. C'est d'abord, à mon avis, une curiosité : la capacité de poser des questions, de s'informer, de confronter les informations et les réflexions des autres, d'avoir un regard critique sur son environnement. C'est presque la définition du développement humain ! Comme l'a si drôlement illustré Woody Allen, quand on naît, le monde prend la forme d'un énorme mamelon. C'est tout ce qu'on voit. C'est ça, l'univers : un gros mamelon, puis un gros téton, puis la mère... Et plus on se développe, plus notre environnement se complexifie.

Quand on est tout petit, lorsqu'on ne voit plus les choses, on pense qu'elles ont disparu à jamais. Puis elles réapparaissent à un moment donné, et on commence à expérimenter ce qu'on appelle la «permanence de l'objet». C'est ce qui nous permet de revenir en arrière et de faire l'histoire de l'objet. Une culture de l'Histoire – de notre histoire et de celle du monde – est fondamentale pour notre développement individuel et collectif. On trouve les signes de cette culture de l'Histoire partout : dans les mots, la littérature, les chiffres, les équations, les récits...

La culture est essentielle à notre capacité grandissante de percevoir et d'appréhender notre environnement dans sa complexité, d'y intervenir, d'y jouer un rôle de plus en plus actif afin de le protéger s'il nous convient, ou de le reconstruire s'il ne nous convient pas.

C'était l'un des objectifs de la réforme : permettre aux enfants et aux jeunes de mettre en œuvre les compétences nécessaires dans un monde qui se développe à une vitesse fulgurante et qui demande que l'on fasse continuellement des liens entre ce que l'on sait et ce que l'on fait ou peut faire. C'est dommage que l'on n'ait pas réussi à expliquer convenablement ce que sont les compétences transversales avant que le cynisme ambiant s'en moque! La culture, c'est aussi les théories, y compris les théories naïves, que l'on transporte en soi pour expliquer le monde et sur lesquelles l'école doit s'appuyer pour aider l'élève à aller plus loin. Je me rappelle très bien mon enfance à La Tuque. Il y avait là une énorme usine de pâtes et papiers; mille six cents hommes y travaillaient, quelques femmes. Je me souviens très bien de m'être extasié devant une de mes tantes: «Ah, regarde le gros nuage!» Elle me dit: «Je me demande d'où ça vient, ces nuages-là. Comment on fait ça, les nuages, Camil?» Et moi de lui répondre: «C'est la fumée de l'usine.» J'avais ma théorie naïve sur la formation des nuages. Ma tante n'a pas ri de moi, elle a dit: «Ah oui, tu penses?» Puis elle m'a partiellement donné raison: «Oui, c'est la vapeur parce que, quand on fait du papier, ça fait beaucoup d'eau bouillante, etc.» J'ai appris comment se forment les nuages parce que ma tante est partie de ma théorie naïve. C'était finalement une formidable pédagogue.

L'école contemporaine est fantastique à cet égard. La pédagogie par projets préconisée par la réforme peut à la fois tenir compte des théories de l'enfant et du jeune, aiguiser sa curiosité et le mener vers autre chose, quelque chose de plus complexe et de partagé par sa communauté. Quand on fait des gorges chaudes du constructivisme social, on fait des gorges chaudes contre cela. Mais sans une approche comme celle-là, il n'y a pas une culture de la curiosité qui puisse s'installer. Cette culture repose essentiellement sur l'approbation de nos approximations par ceux qui nous entourent.

Si je voulais résumer ma pensée sur ce que devrait savoir un jeune en sortant du secondaire, je dirais ceci: il doit savoir poser des questions, considérer correctement les problèmes et décoder son environnement dans sa complexité; il doit savoir où et comment chercher les explications et les solutions possibles, puis pouvoir en discuter et les partager; il doit pouvoir modifier son opinion, enrichir ses connaissances, puis déterminer et explorer toutes les possibilités qui s'offrent à lui lorsqu'il ferme les portes du secondaire. Il doit savoir qu'il peut apprendre en s'ouvrant avec confiance à son environnement.

Fabienne Larouche
Scénariste

Une culture générale relève de l'encyclopédie. La capacité de savoir d'où on vient, où l'on vit, de savoir lire, écrire, compter, de distinguer l'esprit mathématique de l'esprit de finesse. En éliminant le cours classique, on a tué la culture générale qui venait avec elle, proposant à tous un enseignement centré sur l'emploi, donc sur l'utilité. Les maisons d'enseignement sont devenues des usines à créer, de la main-d'œuvre. Et moins elle a de culture générale, cette main-d'œuvre, plus elle est spécialisée, plus elle est performante localement.

D'une part on a voulu dénier l'orientation néolibérale de la société, d'autre part on a construit les programmes de manière à forger des travailleurs de plus en plus spécialisés, voués à la connaissance pointue nécessaire à l'exécution de leurs tâches industrielles. On a vidé l'école de sa substance généraliste, du flou essentiel au développement de la curiosité intellectuelle, laissant entendre aux enfants qu'ils allaient d'abord à l'école pour se trouver un emploi. Or, il n'y a rien de plus antinomique que l'école et l'emploi, même si l'emploi dépend de l'école. L'école établit la culture générale. Au travail, on apprend à réaliser des tâches. La très grande pression qu'exercent les entreprises pour obtenir de l'école des individus performants rapidement, donc déjà préparés aux tâches, n'est sûrement pas étrangère à cet état de fait. On se rappellera le grand engouement pour le système coopératif dans les années 1970, qu'on voyait alors comme la solution aux besoins de l'individu et de l'entreprise. On a compris depuis que ce système sert surtout les intérêts de l'entreprise.

À la fin du secondaire, on devrait pouvoir écrire un essai simple d'environ vingt pages sur Victor Hugo, sans aucune faute, dans un style épuré et avec un raisonnement cohérent, et ce, qu'on se destine à la menuiserie ou à des études supérieures. On devrait avoir les notions essentielles en mathématiques, en chimie, en physique et en biologie pour se préparer aux études supérieures. On devrait comprendre les grands moments de l'histoire du Canada et de l'Amérique, et pouvoir situer les différents pays et leurs capitales, ainsi que les phénomènes naturels. Enfin, on devrait connaître diverses visions du monde philosophiques ou spirituelles. Les autres matières sont selon moi nécessaires, mais complémentaires.

Ianik Marcil
Économiste

La seule et unique finalité du système scolaire devrait être l'acquisition d'une culture générale, pour des raisons philosophiques, mais aussi pour des raisons pragmatiques, qui sont celles de l'économiste. Le monde dans lequel on prend place change de plus en plus vite, et ce, depuis le début de la révolution industrielle. Les finissants d'aujourd'hui auront trois à quatre carrières dans leur vie, auront eu une douzaine de jobs avant d'avoir quarante ans. Un système d'éducation qui est axé uniquement sur la formation de travailleurs, dans un contexte comme celui-là, est économiquement inefficace. Après quelques années, on est dépassé et on va changer de job de toute façon.

On peut avoir de la formation continue parce qu'une nouvelle technologie arrive, par exemple en médecine. J'ai été hospitalisé il y a peu de temps, et mon médecin, qui n'est pas loin de la retraite, manipulait les bébelles informatiques comme un pro même s'il n'y avait rien de tout ça dans sa jeunesse. Ce sont des détails, mais pour beaucoup de travailleurs, c'est structurel : leur job a changé complètement et ne sera plus jamais la même.

Il y a une étude qui a été faite aux États-Unis en 2004 qui disait que les dix jobs qui allaient être les plus demandées en 2010 n'existaient pas dans les programmes de formation en 2004. Seulement six ans… Et ça s'est vérifié. Six ans, c'est le temps de faire un bac et une maîtrise !

Répondre par l'éducation à la demande du marché du travail, c'est voué à l'échec. Bien sûr, il y a des besoins fonctionnels, des besoins de métier ou de profession, qui seront toujours là – on aura toujours besoin de plombiers, de médecins, de notaires et de comptables –, mais à ces métiers et professions correspondent des formations particulières, appliquées qui devraient s'ajouter à l'objectif à long terme de former de bons citoyens.

Si on a une bonne culture générale, on peut s'adapter.

Si on connaît le sens de l'Histoire, les dynamiques économiques, l'histoire des sciences et technologies, on comprend ce qui se passe, on sait que notre monde est en mouvement, et on est capable d'être souple et réceptif aux changements.

Ce n'est pas évident : on est stressés, il y a des *burnouts* et des suicides à tour de bras. Si on était mieux préparés à comprendre les changements qui surviennent dans notre environnement, à jauger notre capacité à y intervenir, peut-être qu'on serait plus solides individuellement et collectivement. On aurait une certaine emprise sur notre réalité et on ne serait pas obligés de regarder le train passer en nous disant : « Je me suis fait *slacker*. Il faut que je recommence. Il faut que je retourne à l'école. »

Ce que nous vivons depuis le milieu des années 2000, et qui était en germe depuis la fin des années 1990, c'est la perte de légitimité politique, la désacralisation d'à peu près tout, une redéfinition de l'individualisme ; bref, une perte de repères. Nous sommes devenus de mauvais citoyens : on ne va plus voter, on s'implique de moins en moins, mais à l'inverse, on a une soif de s'impliquer, de changer les choses, d'avoir notre mot à dire.

L'éducation, ce qu'on appelait au xixᵉ siècle la « constitution d'un honnête homme », doit inclure la culture scientifique. C'est très important pour être en mesure de comprendre le monde.

La culture générale est devenue nécessaire pour survivre, pour être bien, pour être heureux, pour faire partie de la gang qui s'appelle « l'humanité ». Ce qui était un luxe de la bourgeoisie au xixᵉ siècle est devenu une nécessité pour le travailleur. Ce qui me semble tragique, c'est que le système d'éducation s'éloigne de cet objectif. Plus on en a besoin, moins on le fait, pour répondre impérativement aux sacro-saints besoins du marché du travail.

Madeleine Thibault
*Enseignante retraitée s'étant spécialisée
dans le soutien aux élèves en situation de grande
difficulté d'adaptation et d'apprentissage*

Évidemment, en sortant du secondaire, un jeune doit savoir lire et écrire, c'est-à-dire être capable de comprendre un texte et d'en structurer un pour livrer sa pensée. Il doit avoir une connaissance de base en mathématiques et en anglais.

Il devrait connaître les grandes règles qui régissent la société dans laquelle il vit, en connaître les origines – c'est-à-dire posséder quelques notions d'histoire – ainsi que l'impact de ses gestes sur la société (sur l'environnement, l'écologie).

Il doit avoir eu l'occasion d'acquérir une expérience de base dans différents arts : la musique, la danse, le cinéma, le dessin, la peinture. Il doit avoir fait l'expérience de différents sports – des sports de groupe et des sports individuels – et avoir une connaissance des principes lui assurant la santé physique et mentale. Il doit connaître les technologies de l'information, en tout cas au moins les principaux logiciels à utiliser. Il doit savoir comment trouver de l'information sur Internet, et différencier le faux du vrai et le mauvais du bon.

Mais, à la fin du secondaire, ce n'est pas suffisant de maîtriser toutes ces connaissances générales. Si c'était seulement ça... Le jeune devrait aussi avoir appris à devenir un citoyen responsable. Il aura appris à respecter les règles de l'école et de la société. Il aura appris à prendre des responsabilités, à travailler en équipe, à faire des choix, à prendre des décisions, à négocier et à régler des conflits avec ses pairs. Il aura appris à apprendre, et donc, on peut dire qu'il aura aussi mis en œuvre ses compétences transversales. Tout ça fait partie de la culture générale.

Apprendre à apprendre, c'est aussi avoir des méthodes d'apprentissage. On n'est pas obligé de tout apprendre par cœur, et s'il y a des choses qu'on doit apprendre par cœur, il y a des façons de le faire : on peut s'aider avec des notes, avec des repères, etc. Quand on nous demande de lire un livre, est-ce qu'on est obligé de tout lire ? Oui, idéalement, mais si on manque de temps, il faut savoir comment aller chercher l'essentiel, à l'aide des débuts de paragraphes, des grands titres, des tables des matières. Si on a un très gros livre dans lequel il faut trouver une seule information et qu'on pense qu'il faut le lire du début à la fin, on va perdre du temps.

Apprendre à apprendre, ça peut aussi se faire par le travail en équipe : savoir partager les tâches selon les forces de chacun des membres de l'équipe. À une époque, à l'université, je travaillais avec des ingénieurs. Ils étaient bien sûr très bons en mathématiques, et moi, ils me trouvaient tellement bonne pour faire les exposés ! J'avais la responsabilité d'écrire les textes et d'aller livrer la présentation devant tout le monde, tandis qu'eux devaient faire toute la recherche mathématique. Au bout du compte, on arrivait à un ensemble qui était intéressant. J'apprenais d'eux, ils apprenaient de moi. Apprendre à apprendre, c'est un peu toutes ces techniques-là.

Maryse Perreault

*Conseillère politique au ministère du Travail, de l'Emploi
et de la Solidarité sociale, ancienne présidente-directrice
générale de la Fondation québécoise pour l'alphabétisation*

Ma définition de la culture générale est datée au carbone 14. J'ai cinquante-quatre ans, et mes parents n'ont pas pu aller à l'école longtemps – ma mère un peu plus car elle venait d'un milieu un peu mieux nanti, mais mon père avait une septième année ; pourtant c'était un grand lecteur, et sa mère était autodidacte. Mes parents n'ont pas eu accès à l'éducation, mais durant leur vie, l'école est devenue accessible jusqu'aux études supérieures. On est trois filles chez nous et nous sommes toutes allées à l'université. Il n'était pas question que ça se passe autrement. Cette soif d'apprendre que mes parents n'avaient pas pu satisfaire, ils voulaient que leurs enfants le puissent.

Aujourd'hui, pour une partie de la population, ce n'est plus le cas. Nous voyons des générations successives d'enfants sacrifiés dans les voies de garage du système d'éducation. Bien des gens ont intégré le fait qu'ils ne sont pas moulés pour l'école, où ils ont vécu au mieux un ennui profond, au pire un traumatisme scolaire. Ensuite, ils traînent avec eux ce bagage et le transmettent.

Pour moi, la culture générale, ce sont les mots de Montaigne : « Mieux vaut une tête bien faite qu'une tête bien pleine. » C'est une capacité à faire des liens grâce à une connaissance solide et nécessaire de l'histoire, de l'endroit d'où on vient et de sa langue (parlée et écrite). C'est une capacité à acquérir des connaissances par la lecture et par d'autres moyens que ceux du milieu scolaire. Une culture générale, c'est avoir la capacité d'apprendre à apprendre.

Les jeunes ont l'impression que le monde a été inventé par eux. Avant, ça n'existait pas... Alors il y a une atomisation de la société parce qu'on n'a pas cette base commune qu'est la culture générale. Le partage d'un certain nombre de connaissances dans différents domaines (culturel, social, littéraire, historique, politique, etc.), c'est ce qui fait une culture générale.

C'est en train de changer. Il est difficile de définir les contours de ce que ça sera, mais la culture générale telle que définie au xixe siècle relève du passé. On est vraiment dans une ère de spécialisation. Même parmi les gens de ma génération, je suis une bibitte rare : je lis beaucoup, j'écris le français sans fautes, j'ai une culture générale supérieure à la moyenne – et pourtant je viens d'un milieu modeste.

Il y a eu un déclin graduel de la qualité de l'enseignement depuis la grande restructuration économique. Lorsque je suis arrivée sur le marché du travail, il n'y avait plus de jobs. Et quand il n'y a pas d'emplois, il faut que tu te débrouilles.

J'ai l'impression que mon baccalauréat en histoire de jadis vaut plus cher qu'une maîtrise en histoire d'aujourd'hui. Je vais parfois dans des universités pour sensibiliser des gens ; je rencontre des étudiants et je constate que la qualité de leur français est affligeante ! Des jeunes qui étudient en marketing social m'ont fait un *pitch* de vente comme si j'étais une cliente, avec de belles images soignées et tout, mais il y avait huit fautes par phrase... Des fautes dans les slogans proposés ! Ils sont à l'université, viarge !

On habite une langue avant d'habiter un pays. On pense avec sa langue, on réfléchit, on philosophe avec une langue. Penser avec cinquante mots de vocabulaire, c'est très différent que de penser avec trois mille mots. Ça colore l'ensemble des activités humaines.

Pour «lutter» contre le décrochage, on fait progresser les jeunes d'un niveau à l'autre même s'ils ne maîtrisent pas les concepts prévus au programme. Ça, c'est aussi du nivellement par le bas. Ce qu'on constate chez les étudiants universitaires, c'est ce nivellement par le bas.

Moi, comme individu, comme citoyenne, je ne suis pas d'accord. Je veux qu'on soit exigeant. Je veux qu'on parle la langue comme il faut, qu'on l'écrive comme il faut, qu'on en soit fier. Ça a l'air d'un truisme, mais on n'est pas fier de notre langue. Ça influence notre capacité de penser, d'analyser. Ça édulcore la pensée, ça donne moins de profondeur. Là-dessus, le manque de culture générale vient enfoncer le clou. Je trouve ça non seulement très dommage, mais aussi très inquiétant. Pour les messieurs Harper de ce monde, avoir des gens moins éduqués, c'est peut-être un facteur favorable mais...

On est dans une société où on valorise le succès facile, l'argent facile. Les scandales financiers et les bandits à cravate, ça existe parce que l'avidité n'est pas juste de leur côté. Les gens qui ont cru à un rendement de 20 % à la bourse, ils étaient menés par quoi ? L'altruisme et la grandeur d'âme ? Non. L'avidité. Ce n'est pas vrai qu'il y a les méchants d'un côté et les bons de l'autre. On participe tous à un système de valeurs qui ne s'améliore pas, qui se dégrade. La marchandisation, l'individualisme à outrance, le succès instantané, le «au plus fort la poche», c'est vingt-cinq ans d'idéologie néolibérale dans le corps, C'est ça que ça donne.

Aujourd'hui, tout est égal, toutes les opinions sont égales. «Ah... C'est ton opinion.» Ça me rend folle ! Non, toutes les opinions ne se valent pas : il y a des opinions imbéciles et il y a des opinions fondées sur des faits, des études et des arguments. Juger la valeur d'un argument, réfléchir par soi-même, être libre penseur, avoir du libre arbitre, être capable de décoder le monde autrement qu'en répétant des clichés ou la pensée de Stéphane Gendron, ça s'apprend, même si la tentation de la facilité est partout.

Je suis plutôt athée, mais je pense que, lorsqu'on a jeté par-dessus bord la religion, on a jeté toute la morale aussi. On a jeté le bébé avec l'eau du bain, et ça a été remplacé par la consommation, par le succès, par Québec Inc., etc. La crise des jeunes, c'est une crise de sens. Ils cherchent du sens, mais ils n'en trouvent pas.

Normand Baillargeon
Essayiste et professeur en philosophie de l'éducation

Je viens de publier un livre sur le sujet. J'y défends une vision de la culture générale établie d'abord par un philosophe et mathématicien anglais contemporain qui s'appelle Paul Hirst. J'ai ajouté des choses, mais le cœur de l'idée vient de lui : la culture générale est ce que devrait viser toute éducation digne de ce nom. L'éducation devait tendre vers cet idéal. Or la culture générale est menacée, tout comme l'idée d'éducation. C'est menacé par le relativisme ambiant, par l'idée que tout se vaut, que tous les produits sont égaux, qu'il n'y a pas de différence entre la musique classique et la dernière rengaine à la mode, que la science est un discours parmi d'autres.

Je suis profondément de gauche, mais je reconnais que la culture de masse peut être dommageable à la culture générale qu'on devrait transmettre à l'école. Tout comme les inégalités sociales et l'économisme…

La culture générale, c'est l'humanité qui veut donner du sens à son expérience, à ce qu'elle comprend du monde, et ce, à travers des formes de savoir. Voilà l'idée de base. On entre en relation avec le monde, on donne du sens à tout ça, on l'analyse, on le comprend à travers des formes de savoir qui sont historiquement établies. Ces formes de savoir sont distinguables les unes des autres, on peut les repérer. On les distingue parce que, pour chaque forme de savoir, il y a des concepts particuliers. Ainsi, la religion est une forme de savoir. La religion a un sens – que je reconnais tout à fait même si je ne suis pas croyant. La religion, c'est une des façons par laquelle les gens donnent du sens à l'expérience humaine. Des concepts comme la « rédemption » ou le « péché » sont spécifiques à cette forme de savoir, on ne les retrouve pas ailleurs. De la même manière, les mathématiques sont une autre forme de savoir.

Le concept d'«intégrale», le concept d'«équation», c'est en mathématiques qu'on les trouve. Les formes de savoir se distinguent par des concepts irréductiblement spécifiques, par la façon dont elles sont organisées et par des procédés qui permettent de les valider ou non. Il y a une façon de valider des propositions en mathématiques, de les organiser les unes avec les autres et de les vérifier. À la fin, on peut dire si c'est bon ou pas. Mais la façon d'y arriver est tout à fait distincte de la manière dont on peut valider les propositions, disons, en religion, qui s'interroge sur le péché et la rédemption. On ne fait pas des équations en religion ! Il y a une manière différente de raisonner, de prouver ses propositions.

Si on accepte cette idée qu'il y a des concepts particuliers à chaque forme de savoir, qu'il y a des façons distinctes de les lier les uns aux autres, de les vérifier, de les valider, on arrive à un nombre assez limité de formes de savoir. Il n'y a pas huit cents formes de savoir ! La liste du philosophe et mathématicien anglais Paul Hirst me semble assez bonne. Il y a les mathématiques et la logique, les sciences naturelles, les sciences humaines, l'histoire, la religion, la littérature et les beaux-arts, la philosophie. Je pense que ce qu'on devrait viser dans la formation qu'on donne aux élèves, c'est de leur faire parcourir le plus large éventail possible de ces formes de savoir.

L'idée n'est pas de faire de chacun des mathématiciens de haut niveau ou des spécialistes des sciences naturelles. L'idée, c'est que chacun ait suffisamment goûté à ces formes de savoir pour en maîtriser les concepts de base. Personne ne devrait sortir de l'école sans maîtriser ces concepts de base. Lesquels ? Ça reste à définir ; il y a une belle discussion à avoir là-dessus, j'en conviens. Mais si quelqu'un sort de l'école et ne sait pas ce que c'est qu'une équation, on a manqué le bateau. Le parcours du plus large éventail possible de ces formes de savoir devrait donner une culture générale. Le cursus devrait être axé là-dessus.

Avec ces savoirs de base, on acquiert aussi ce que j'appelle des «vertus épistémiques», des vertus intellectuelles particulières. Par exemple, on se rend compte que le savoir humain est immense et qu'on ne sait pas tout. On acquiert une certaine humilité et le besoin d'écouter le point de vue d'autrui en se disant qu'on peut se tromper. On acquiert des vertus comme celles-là en ayant une culture générale. La culture générale prépare à la conversation démocratique. Quelqu'un qui a une culture générale a du respect pour les normes internes des disciplines. Quand il voit une démonstration mathématique pourrie, quand il voit un historien raconter n'importe quoi ou avoir mal évalué ses sources, ça le choque, ça le blesse parce qu'il y a des normes internes à respecter.

Avant, notre vision de la culture générale était humaniste et littéraire. Étaient cultivés ceux qui avaient lu les auteurs classiques, qui connaissaient Homère, etc. La culture générale qu'on devrait viser dans le monde d'aujourd'hui, où les sciences et la technologie prennent une place si importante, doit incorporer massivement des sciences et des mathématiques citoyennes. On ne peut plus être un citoyen en ne sachant pas lire un sondage. On ne peut plus être un citoyen en n'ayant aucune notion de mathématiques, en sombrant dans ce que j'appelle l'«inumérisme», en n'ayant aucune capacité à *dealer* avec les chiffres, avec des données chiffrées. On ne peut plus être un citoyen en ayant si peu de notions scientifiques qu'on ne comprend pas le débat sur les gaz de schiste.

J'accorde aussi une grande importance à l'histoire. Il me semble que c'est la façon privilégiée dont on acquiert certaines de ces vertus épistémiques. Avec de solides notions d'histoire, on se rend compte que les Grecs pensaient autrement, mais que ce n'était peut-être pas cinglé. On s'aperçoit que la crise économique qu'on traverse en ce moment, il y en a eu une aussi en 1929. C'est important de voir comment on a réagi jadis. C'est essentiel de se rappeler que, lors de cette crise, les institutions bancaires ont finalement été aidées, mais qu'on a aussi nationalisé les banques. C'est primordial d'avoir cette perspective-là sur tous les enjeux. Je suis un fervent partisan d'une historisation des problèmes et des savoirs. Il y a eu une époque, pas si lointaine, aux États-Unis, en Europe, en Angleterre et même ici, dans les mouvements ouvriers, où on aspirait à ce savoir-là. On ne voulait rien tant que devenir cultivé. Dans les Bourses du travail des anarchistes en France, il y avait des écoles, il y avait des cours, il y avait une bibliothèque, il y avait une librairie. On ne pensait pas que c'était bourgeois. On voulait acquérir la culture et on voulait la transmettre. C'est ça que je défends. Les jeunes des milieux défavorisés y ont absolument droit. C'est à eux qu'on doit s'intéresser le plus parce que, souvent, les autres y ont accès ailleurs avant d'arriver à l'école.

Quand les individus sont libres, ça fonde le lien politique. Avec un espoir profond, je mise encore beaucoup sur l'éducation et je suis triste quand je la vois dénaturée par le ministère, par les facultés des sciences de l'éducation, par toutes sortes d'entreprises délirantes.

Quel est le rôle de l'école, du primaire à l'université?

Camil Bouchard
Psychologue, ex-député

LE RÔLE DU PRIMAIRE

Le rôle du primaire, c'est l'éveil. Établir le plaisir et le goût d'apprendre. Point. Les pays scandinaves l'ont compris : beaucoup d'entre eux ne donnent pas de bulletins avant la quatrième année. Ils ont adopté ce qu'on appelle une attitude d'« évaluation formative », c'est-à-dire qu'on suit le processus d'apprentissage des enfants et qu'on les encourage dans leurs progrès individuels et non pas comparatifs. On les prend là où ils sont et on les mène jusqu'à ce qu'ils mettent en œuvre leur potentiel pour pouvoir entrer en quatrième année. Et là, on commence tranquillement à leur donner du *feed-back* sur leur capacité à transformer les connaissances acquises en résultats, mais pas avant. Le rôle du primaire, pour moi, c'est ça.

Certains semblent privilégier la douleur dans l'apprentissage. Ils disent que, lorsque l'enfant prend du plaisir à apprendre, il devient un enfant-roi. C'est un peu bizarre comme réflexion...

Le défi est de se débarrasser des conventions, des qu'en-dira-t-on, de l'impression qu'une personne regarde constamment par-dessus notre épaule ; se débarrasser du jugement pour aller vers le plaisir, vers ce qui éclate, vers ce que nous voulons faire plus tard. Si on se fait taper sur les doigts dès nos premiers coups de pinceau, on ne peindra plus, c'est sûr ! On n'aura pas de plaisir à le faire. Les peintres, eux, s'enferment dans leur atelier et se crissent du monde. Autrement, ils ne produisent pas. C'est la même chose dans les premiers pas de l'apprentissage institutionnel. Il faut que l'institution porte les jeunes, qu'elle les amène vers le plaisir d'apprendre, vers l'idée que, demain matin, ils auront hâte de revenir parce qu'ils en tireront de la fierté et du plaisir !

La comparaison avec les autres a toujours été très tuante dans le système. Ceux qui ont du talent, pour qui la culture est déjà quelque chose d'intégré dans leur vie et qui ont appris la curiosité très jeunes, n'ont pas de problème avec la comparaison. Mais pour ceux qui n'ont pas eu cette chance, au point de départ...

Des anthropologues se sont penchés là-dessus durant des années. Ils ont découvert que les parents de milieux populaires préparaient leurs enfants à atteindre leur définition de la réussite, c'est-à-dire à obéir, à être consentants, pour pouvoir un jour ou l'autre avoir un emploi et le conserver. Dans les milieux de classes moyenne et moyenne-supérieure, c'est le contraire : on veut que les enfants soient innovateurs, inventifs, leaders, etc. On permet la curiosité, l'exploration de l'environnement, et on soutient les enfants là-dedans parce qu'on a les moyens de le faire.

Pour moi, au primaire, il faut se défendre contre l'idée que l'apprentissage est une question de discipline. L'apprentissage n'est pas une question de discipline, c'est une question d'indiscipline ! Une question de divergence ! Un esprit divergent est un esprit créatif, un esprit qui apprend parce qu'il manipule son environnement, prend des risques. Il faut prendre des risques quand on apprend, il faut se tromper !

Mais il faut avoir un accompagnateur. Ça prend quelqu'un à côté de nous qui dise : «Woh ! Cul-de-sac, mon ami !» Quelqu'un qui nous mette devant un conflit cognitif et qui nous apprenne à recommencer sans paniquer, à trouver ça normal d'arriver devant un mur et de devoir le contourner pour progresser. C'est monumental pour le développement d'un enfant.

LE RÔLE DU SECONDAIRE

Premièrement, c'est une erreur de penser qu'on va laisser le plaisir au seuil de l'école secondaire pour entrer dans la peine et la douleur. Il faut continuer dans le plaisir.

Deuxièmement, il faut commencer à bâtir autour de l'enfant sa capacité d'occuper un rôle actif, conscient, dans son milieu. Je suis un grand admirateur des écoles et établissements verts Brundtland : on commence à intégrer dans la vie de l'enfant la notion d'analyse critique de son environnement. « Un citoyen responsable, qu'est-ce que c'est ? Un consommateur raisonnable, qu'est-ce que c'est ? Un producteur équitable, qu'est-ce que c'est ? La surconsommation, la consommation… » On entre de plain-pied dans le façonnement du citoyen. On peut le faire avant – il y a beaucoup de perméabilité entre les zones primaire et secondaire –, mais au secondaire, si on passe à côté de ça, on manque notre coup. Il faut introduire dans la vie de l'enfant l'idée de la complexité de l'univers. Il faut découvrir cette complexité ; si on ne la découvre pas, on ne la voit pas. Au secondaire, c'est primordial.

L'autre chose essentielle, c'est qu'on en sorte, du secondaire ! Quand les enfants arrivent au secondaire, ils ont cinq ans à faire. C'est extrêmement long. Pour ceux qui ont réussi l'acquisition des connaissances, les deux dernières années sont de la répétition, de la consolidation. Mais il y a un groupe d'individus à qui on ne permet pas de sortir de l'école secondaire : ceux qui s'en vont en formation professionnelle. Pour moi, ce sont des enfants sacrifiés par manque de clairvoyance et de courage politique.

Il y a au Québec deux grandes institutions, deux ordres d'enseignement, qui se disputent la formation professionnelle : les collèges et les commissions scolaires. La Fédération des cégeps a publié en 2007 un formidable mémoire suggérant qu'on donne la formation professionnelle dans les collèges. Les commissions scolaires ont rétorqué : « Non, non, c'est à nous à faire ça. » Pendant ce temps, les jeunes payent.

On manque notre coup et on sacrifie je ne sais pas combien de jeunes par année. On offre un diplôme de niveau professionnel à 6 % d'entre eux, alors qu'on devrait atteindre 38 %. Après avoir intégré les acquis fondamentaux de quatrième et de cinquième secondaire, tous les jeunes devraient aller au collège. Les parents et les enfants le souhaitent. Ce passage est un rituel extraordinaire.

Nous n'avons plus de rites de passage dans nos vies, guère plus de rites religieux et sociaux. Les seuls qui nous restent sont ceux du passage du primaire au secondaire, du secondaire au collège, puis à l'université pour certains, et finalement, au monde du travail.

Mais que fait-on? On dit aux jeunes: «Regarde, tu as devant toi un choix. Tu t'en vas au collège ou tu t'en vas en formation professionnelle. Si tu t'en vas au collège, tu rentres dans la vie adulte, bienvenue! C'est désormais la vie de l'autonomie. Si tu t'en vas en formation professionnelle, bravo! Quel beau choix! Mais... tu restes au secondaire. Tu n'auras pas droit à ce rite de passage-là.»

Les enquêtes du ministère de l'Éducation indiquent que 92 % des parents souhaitent que leurs enfants aillent au collège. Alors, dans l'état actuel des choses, quand un jeune souhaite se diriger en formation professionnelle, souvent les parents se braquent et refusent. Ils veulent que leur enfant poursuive ses études au niveau supérieur. Résultat: les jeunes décrochent...

En fait, ils ne décrochent pas vraiment: ils abandonnent pour un ou deux ans, font un détour, reviennent par la formation aux adultes, puis obtiennent ultimement un diplôme de formation professionnelle, donc un diplôme de reconnaissance du secondaire. Ce détour nous coûte cher et il leur coûte cher aussi. Il y en a beaucoup qu'on ne récupère pas...

Doit-on dire merci à l'ancien ministre Claude Ryan? Il nous a fait passer, avec sa réforme, de 15 % de diplômes pour les jeunes de moins de vingt ans en formation professionnelle à 2 %, sous prétexte qu'il était essentiel que ces jeunes aient exactement les mêmes acquis en français et en mathématiques que les autres.

La solution est simple, pourtant; on n'aurait même pas besoin de déménager les campus. On n'aurait qu'à dire : « Désormais, le diplôme que vous aurez est un diplôme collégial, les amis. Si vous suivez la formation professionnelle telle qu'on la connaît maintenant, vous aurez un diplôme collégial. Cette formation sera plus courte que la formation technique déjà offerte au collège. Autrement dit, vous ferez un an et demi ou deux au cégep, puis bonjour et merci, vous aurez votre diplôme de formation professionnelle. Si vous voulez aller plus loin et que vous satisfaites aux exigences, vous continuez votre chemin. Vous n'avez pas besoin de passerelles et d'ententes entre les ordres d'enseignement pour poursuivre une formation technique plus avancée dans le même établissement. »

Les protocoles d'entente entre le ministère, la formation professionnelle au secondaire et les cégeps pour que les jeunes puissent passer en formation technique sont tordants de rire ! Il y en a cinquante par année tant c'est complexe. Or l'idée de sortir du secondaire, c'est majeur, c'est passer à l'autonomie.

Il y a aussi le problème des commissions scolaires. Il y en a trop. Dix-sept, ce serait bien assez, une par région administrative. Le rôle des commissions scolaires est d'abord un rôle de péréquation, c'est-à-dire de distribution des ressources en vertu des indices de défavorisation sociale. Ensuite, il s'agit de soutien sur le terrain. Les conseillers pédagogiques, tu crisses ça dehors !

Les commissions scolaires font partie du problème en ce sens qu'il y a trop de couches administratives : le ministère, les directions régionales, les commissions scolaires et les écoles. Il faudrait se débarrasser des directions régionales pour avoir une communication directe entre le ministère et les commissions scolaires. Il faut qu'elles soient capables, dans leur cartographie, de faire une bonne péréquation, et ce n'est pas sorcier.

Il ne s'agirait pas d'une disparition des commissions scolaires, mais d'une fusion. On l'a déjà fait : on est parti de cent soixante commissions scolaires pour passer à soixante-huit. Maintenant, on pourrait passer de soixante-huit à dix-sept...

Par ailleurs, les enseignants doivent prendre leurs responsabilités. L'idée d'un ordre professionnel, c'est central. Je ne suis pas d'accord avec Normand Baillargeon qui affirme que les enseignants ne sont pas des professionnels comme les autres. On ne peut pas à la fois dire que les enseignants sont des professionnels et ne pas créer un ordre qui protège le public contre les errances de la profession. Les professeurs disent : « Oui, mais nous n'avons qu'un employeur : le ministère de l'Éducation. » Les travailleurs sociaux ont un seul employeur, c'est le ministère de la Santé et des Services sociaux. On doit, si on est un professionnel, assumer le titre qu'on veut porter.

Un ordre, ce n'est pas méchant, et ça éviterait bien du grenouillage autour de l'évaluation des profs, par exemple. Nous n'aurions pas besoin d'une évaluation microscopique à ce moment-là. Nous aurions seulement besoin de nous protéger contre les errances, contre le 2 à 4 % d'enseignants qui ne valent pas une claque, qui sont à la mauvaise place ou qui font des gestes répréhensibles.

Un ordre professionnel sanctionne la formation continue, et la formation continue, c'est le nerf de la guerre en enseignement. « Qu'y a-t-il de nouveau dans ma matière ? Qu'y a-t-il de nouveau dans l'univers des possibles en enseignement ? Quelles sont les nouvelles technologies, les nouvelles façons de faire ? Qu'est-ce qui marche ? Qu'est-ce qui ne marche pas ? » Si on n'est pas connecté sur la science, on n'est pas un professionnel.

Les ordres professionnels sont là pour connecter leur monde. Je faisais partie de celui des psychologues, et c'était génial ce qu'on y donnait comme formation continue. Franchement, c'est essentiel si on veut demeurer dans l'ornière de l'appartenance à une profession. Les enseignants font une très grande erreur en refusant un ordre professionnel parce qu'ils prétendent être ce qu'ils ne sont pas.

LE RÔLE DU CÉGEP

Le cégep, c'est un moment d'incubation. On commence à penser à ce qu'on voudrait faire comme métier et on a le droit de se tromper. On a le droit de prendre trois ans au lieu de deux, même si c'est de moins en moins vrai depuis l'ère du ministre Garon... Jean Garon a été un formidable ministre de l'Agriculture, mais un très piètre ministre de l'Éducation. C'est lui qui a introduit l'idée d'une pénalité si on prenait trop de temps au cégep.

Tous les conservateurs de tous les partis politiques pensent à la même chose : réduire les frais. Mais pénaliser les étudiants, ça ne réduit pas les frais : ils sacrent leur camp et ça coûte bien plus cher ensuite !

Pierre Fortin, dans ses études sur l'impact économique des cégeps, a fait la démonstration que si, comme en Ontario, il n'y avait pas de cégeps et qu'on passait directement du secondaire à la première année universitaire, on paierait une maudite facture. Les programmes universitaires coûtent beaucoup plus cher que ceux du cégep : le personnel est payé plus cher, les laboratoires coûtent plus cher, etc.

On fait une bonne affaire avec les cégeps. Nous avons un taux de diplomation universitaire égal ou presque au reste du Canada alors que nous sommes partis de bien plus loin et que ça nous coûte bien moins cher.

Nous avons des enseignants fantastiques au cégep : des philosophes, des gens en littérature qui donnent la piqûre aux jeunes ; c'est extraordinaire ! On fait d'ailleurs du recrutement parmi les professionnels de tous ordres. Ainsi, des spécialistes en communication vont enseigner au cégep sans être bardés de diplômes en pédagogie, et ils sont de formidables enseignants.

Le cégep, c'est un souk d'apprentissage incroyable. Pourtant, on n'y reste pas longtemps – un an et demi, deux ans, trois ans –, mais on y développe un sentiment d'appartenance parce que chacun y joue un rôle actif dès le départ.

Cette zone, cet espace d'incubation est le plus beau cadeau qu'on puisse faire à nos jeunes, mais on le refuse à ceux qui s'en vont en formation professionnelle, et ça me met en maudit ! Un gouvernement le moindrement ouvert changerait cela, et on verrait augmenter les taux d'inscription en formation professionnelle, puis les taux de diplomation.

LE RÔLE DE L'UNIVERSITÉ

La formation universitaire doit compléter une formation de citoyen critique, c'est très important. Pourtant, on s'éloigne de cet objectif, car les universités deviennent très mercantiles.

J'ai assisté à cette dérive lorsque j'étais président du Conseil québécois de la recherche sociale, qui a été transformé en Fonds québécois de recherche en société et culture. On y dispose d'un budget d'à peu près cinquante millions en fonds de recherche. Nous avons beaucoup travaillé, mon prédécesseur et moi, sur la notion d'innovation sociale et sur l'application des découvertes en sciences sociales pour l'amélioration des milieux fréquentés par les individus.

Par exemple, les centres de la petite enfance, c'est une innovation sociale. Le Québec est un des plus grands laboratoires du monde sur le plan du développement de l'enfant. C'est de la recherche appliquée, mais il y a un danger quand c'est le privé qui commence à verser les subventions que devrait offrir l'État et qu'il oriente carrément non seulement les résultats de la recherche, mais la question même qui y est étudiée !

Il faut continuer à aspirer à ce que nos étudiants soient capables d'analyse critique. Ma foi, on ne réussit pas si mal quand on voit comment les étudiants se sont mobilisés au printemps 2012 ! Mais il y a de grandes menaces dans le retrait progressif de l'État, qui laisse de plus en plus de place à l'entreprise privée.

Diane Boudreau
Enseignante au secondaire récemment retraitée

LE RÔLE DU PRIMAIRE

Apprendre à lire et à écrire correctement est ce qui, selon moi, se fait moins bien qu'avant au primaire. On a découpé certaines notions. Par exemple, en cinquième année, on voit l'accord du participe passé employé avec l'auxiliaire *être* et employé seul, et en sixième année seulement, l'accord du participe passé employé avec l'auxiliaire *avoir*; on voit la notion de complément direct seulement en sixième année. Je ne sais pas qui a pensé à ça...

En histoire, c'est la même chose. En quatrième secondaire, plusieurs élèves n'ont encore jamais entendu parler de la Seconde Guerre mondiale. Les profs d'histoire sont en colère, mais on ne les écoute pas, de toute façon.

Une des mes collègues enseignait les mathématiques en troisième secondaire ; ses élèves étaient arrivés du primaire deux ans auparavant, mais ils ne savaient pas comment additionner des fractions. La moyenne de ses groupes était parfois entre 40 et 50 %. Cette enseignante-là avait quatre ou cinq groupes, et à peine deux élèves faisaient les devoirs qu'elle donnait...

Et les parents sont absents. Pourtant, ils ont l'horaire de leur enfant et savent que, chaque fois qu'il a un cours de mathématiques, il va y avoir un devoir d'une quinzaine de minutes à faire. Mais deux élèves sur une centaine environ les font...

La dernière année où j'ai enseigné, je n'ai donné que quelques devoirs, car ça demande une gestion importante et improductive. Ces devoirs-là étaient très courts, mais même dans le programme d'éducation internationale, certains élèves ne les avaient pas faits. «Je n'y ai pas pensé...» Comme punition, je leur faisais mémoriser un poème québécois. Une élève m'a dit qu'elle avait aimé ça. Tant mieux! Elle aura appris un poème d'Anne Hébert, ce n'est pas rien.

Même s'il n'y avait qu'un seul numéro qui n'avait pas été fait dans leur devoir, je leur faisais mémoriser le poème. Il faut être rigoureux! Ils comprennent bien plus vite comme ça. Certains enseignants sont très rigoureux, d'autres le sont moins. Ceux-là veulent sauver leur peau parce que, sinon, les parents appellent pour dire qu'ils sont trop sévères, trop exigeants. Pourtant, l'aide aux devoirs existe; c'est un service très utile, si on en profite.

Au primaire comme au secondaire, on voit des élèves partir en vacances deux semaines durant l'hiver avec leurs parents. Au secondaire, ils peuvent être critiques et dire: «Je comprends que l'école, c'est important, mais je vais accompagner mes parents.» Mais au primaire, ça leur envoie le signal que les vacances, c'est aussi important que l'école.

Moi, je serais très rigide. J'appliquerais systématiquement la Loi sur la fréquentation scolaire obligatoire. «Vous voulez partir avec vos enfants? C'est une infraction. Ça vous coûtera cinq cents dollars par semaine.» Les gens vont généralement en vacances à ce moment-là parce que c'est moins cher que durant la semaine de relâche ou les vacances de Noël.

Il m'est arrivé qu'une jeune fille parte deux fois durant l'année scolaire parce que, je la cite, «il y avait des bons *deals*». Je n'ai rien dit, mais il n'était pas question que je lui fasse récupérer des cours; il fallait qu'elle se débrouille… Il y a des élèves responsables qui y arrivent sans problème, mais parfois, les élèves qui ont de la difficulté partent aussi.

LE RÔLE DU SECONDAIRE

Maîtriser l'écriture de textes simples. On ne veut pas tous en faire des écrivains, mais des élèves qui sortent en faisant cinquante ou soixante fautes dans un texte de cinq cents mots sont diplômés et acceptés au cégep.

Ils font des exercices en classe et ils connaissent la structure: ils comprennent comment rédiger un texte argumentatif, ils saisissent dans quel ordre les idées doivent être présentées, ils savent qu'il leur faut des statistiques ou l'opinion d'un expert pour prouver leur point de vue, etc. Ils connaissent la mécanique, la recette, mais sont-ils vraiment capables, de façon rationnelle, de décortiquer le jugement qu'ils viennent de poser ?

Ils ont très peu de références. Je commence toujours par leur dire d'écouter les nouvelles. Quand, dans le programme de français, on arrive à l'étude du texte argumentatif, on utilise des sujets d'actualité. Je dis donc aux élèves : « Vous avez entendu ça aux nouvelles dernièrement... » Leurs grands yeux s'ouvrent, et ils disent : « Non... » Il y a toujours deux ou trois élèves qui vont être capables de faire les liens, mais ils sont, en général, plus intéressés par ce qui se passe sur Facebook que par l'actualité.

Dans les cours de français au primaire, on n'enseigne pas systématiquement les participes passés, ce qui a pour résultat qu'il subsiste, au secondaire, des élèves qui ne maîtrisent pas les trois règles de base des participes passés. C'est à recommencer chaque année : « C'est quoi, déjà, un complément direct ? C'est quoi, déjà, un complément indirect ? » Quand on parle d'analyse grammaticale, c'est de l'organisation de la pensée qu'il est question !

Parce qu'on éparpille la matière, je pense qu'ils sont encore moins outillés qu'avant pour se construire une pensée claire et critique. Ils ont un très petit bagage, et plus c'est petit, plus ça a des limites.

Les élèves pensent avant tout à trouver une profession, un métier qui va rapporter. Il y a des parents qui exigent que leurs enfants aillent au cégep alors qu'ils devraient aller dans une école de métiers parce que, après une session, ils décrochent. Au secondaire, ils ont réussi en faisant le minimum et ils sont découragés ensuite parce qu'ils ne peuvent plus suivre la parade.

De plus, les élèves n'ont pas de méthodes de travail. C'est catastrophique. Honnêtement, je n'ai pas beaucoup d'espoir.

Fabienne Larouche
Scénariste

LE RÔLE DU PRIMAIRE

Créer de l'intérêt pour la connaissance, la curiosité intellectuelle et l'accumulation des informations. Entre six et onze ans, l'enfant est naturellement curieux. Il veut apprendre des choses, collectionner des objets. Il se posait déjà mille et une questions depuis son éveil à la conscience, mais avec son entrée à l'école, il a désormais accès à un savoir codifié, programmé, préparé pour lui. Au primaire, la relation avec l'enseignant est de toute première importance. Combien voit-on d'évolutions malheureuses en raison d'une incompréhension mutuelle entre un élève, son enseignant et les parents de l'élève... Ces derniers confient leur enfant à un tiers pour la première fois. Ils sont persuadés qu'ils ont mis au monde un enfant intelligent. Si l'enfant réagit mal à l'école, ils en imputeront la faute à l'enseignant.

Il y a tout un passage, une forme d'adoption virtuelle de l'enfant par l'enseignant, lequel demande aux parents de laisser aller. Ce passage est crucial et délicat, mais il peut se faire dans les meilleures conditions possible pour peu que tous, de l'enseignant aux parents, aient compris que l'école primaire n'a pas essentiellement pour but, comme au secondaire, de faire assimiler des connaissances, mais bien plutôt de stimuler la volonté d'acquérir lesdites connaissances.

LE RÔLE DU SECONDAIRE

Établir l'identité intellectuelle de l'élève, qu'il puisse affirmer ses goûts dans la compréhension des méthodes et l'application des techniques de chaque matière. Personne n'est réellement encyclopédique. Nous avons tous des goûts et des préférences artistiques, scientifiques, littéraires. C'est

86

au secondaire que ces goûts se consolident. Si le primaire a donné le goût de la connaissance, le secondaire va l'orienter. Le développement de l'identité intellectuelle ne signifie pas pour moi sa spécialisation. Tel élève davantage porté vers les lettres abordera les sciences avec ses goûts de littéraire, et vice versa. Dans la formation classique française, de laquelle nous descendons, nombreux sont les penseurs, les auteurs qui détenaient des formations scientifiques tout en étant des littéraires : des romanciers médecins, des mathématiciens poètes, etc. Le secondaire doit conforter l'adolescent dans ses goûts afin qu'il ait l'audace de se mesurer à toutes les disciplines.

LE RÔLE DE L'UNIVERSITÉ

Favoriser l'excellence et le développement des connaissances de pointe. Si l'assise est solide, si le primaire et le secondaire ont bien joué leur rôle, la formation supérieure sera riche d'une connaissance générale rigoureuse, et l'esprit n'en sera que plus vif, plus leste, pour aborder une recherche plus pointue dans chaque discipline. C'est à l'université que l'identité intellectuelle s'affine, se polit. Tous ne vont pas à l'université, mais tous devraient pouvoir y accéder à un moment de leur vie si l'intérêt et le besoin se font sentir.

Guy Rocher
Sociologue

LE RÔLE DU PRIMAIRE

Le primaire, c'est le départ dans la vie ; le départ intellectuel et le départ de la socialisation. Maintenant, avec les maternelles, les enfants se socialisent beaucoup plus rapidement qu'autrefois, mais il reste que, pour de nombreux jeunes, l'école est un lieu important de socialisation. C'est le premier contact avec le savoir. Donc, pour moi, c'est vraiment le départ dans la vie.

LE RÔLE DU SECONDAIRE

C'est d'abord un lieu de maturation et d'orientation. C'est là que beaucoup d'orientations se prennent pour les jeunes. Elles sont parfois définitives, mais pas toujours parce que les élèves n'ont pas tous des parcours linéaires.

LE RÔLE DU CÉGEP

Le collégial est un autre moment important : c'est l'entrée dans la vie adulte. Je parle souvent avec mes étudiants de leur expérience du cégep parce que je suis curieux de savoir comment ils l'ont vécue. Je suis toujours frappé par leurs propos, qui sont à peu près tous positifs. J'entends rarement un étudiant parler contre son passage au cégep. Ils disent, pour la plupart, que c'est au cégep qu'ils ont appris à travailler intellectuellement, qu'ils ont établi leur méthode de travail. C'est une transition vers l'âge adulte.

J'ai vu, dans ma vie universitaire, le changement d'attitude des étudiants à l'endroit de la recherche et du travail intellectuel depuis leur expérience du cégep. Il y a un certain nombre d'années, quand on demandait à des étudiants de faire une petite recherche pour le cours, on se faisait répondre : «Qu'est-ce que c'est, monsieur, une recherche? Comment on fait ça, une recherche?»

Aujourd'hui, lorsqu'on leur demande la même chose, ils ne sourcillent pas du tout puisqu'ils en ont fait au cégep, parfois même au secondaire. Si on leur dit qu'ils vont travailler en groupe, ils savent tout de suite ce que ça signifie parce qu'ils l'ont fait au cégep. Donc il y a, dans ces deux courtes années, une importante période de transition intellectuelle, sociale et culturelle chez les étudiants.

Je trouve que le cégep établit, chez un bon nombre d'étudiants, une pensée critique. Je salue les enseignants du cégep parce qu'ils ont, particulièrement dans l'ensemble des sciences humaines, une attitude critique et un contact avec les étudiants qui aide ceux-ci à mettre en œuvre une approche analytique.

Il m'apparaît évident que la «crise» que nous avons vécue au printemps 2012 et le militantisme des étudiants du cégep sont liés en grande partie au climat intellectuel d'un certain nombre de cégeps. Ce climat intellectuel est souvent mis en place par les professeurs et contre l'administration. Il y a un écart important, au cégep comme à l'université, entre les administrateurs et les enseignants. On l'a très bien vu dans la crise étudiante : les administrateurs, pour la plupart, ont pris fait et cause pour le gouvernement, que ce soit dans les universités ou dans les cégeps, et étaient donc souvent contre leurs enseignants et leurs étudiants. Je remarque donc, chez les gens qui sont passés par le cégep, une nouvelle culture critique et une conscience plus marquée des iniquités, des injustices, des inégalités sociales.

LE RÔLE DE L'UNIVERSITÉ

L'université, c'est le respect de l'intelligence et de la vérité. Quelle est la valeur fondamentale de tout enseignement, en particulier à l'université? Ce n'est pas la justice, la fraternité ou l'amour. C'est la vérité.

Nous existons dans le système d'enseignement pour faire circuler la vérité; nous devons un grand respect à la vérité. L'université doit donc être, en quelque sorte,

89

le témoin du respect, par l'intelligence, de la vérité. Nous n'avons pas le droit, à l'université, d'enseigner des faussetés, de faire des recherches fausses, de transcrire les recherches d'un autre et de les signer de notre nom. Dans le monde actuel, avec l'excès d'informations de toutes natures qu'on reçoit, l'université doit, plus que toute autre instance, exiger le respect de la vérité et enseigner la critique de l'information. Le rôle de l'université, dans cette perspective, est de bien faire la distinction entre la culture et l'information. Nous sommes envahis par l'information, mais ce n'est pas de la culture. Une culture a des racines historiques, a un langage, a un regard sur l'univers sous toutes ses formes. La culture sait s'inspirer du passé et regarder l'avenir.

Je ne veux pas mettre sur le dos de mes collègues plus de poids qu'ils n'en ont, mais je crois que les professeurs dans le domaine des sciences humaines et sociales ont une responsabilité particulière, celle d'assurer cet esprit critique et d'essayer de le transmettre à l'université. Ce n'est pas qu'ils en aient le monopole, mais par leur discipline, les professeurs de sciences humaines sont plus engagés dans une attitude critique, et il est normal qu'il en soit ainsi.

Nous sommes menacés par les différents pouvoirs – politiques tout autant que privés – qui ont intérêt à s'emparer du savoir et de l'université. J'ai pu constater, au cours de ma vie, comment la liberté des chercheurs a été réduite tant par les pouvoirs publics que par l'entrée de l'entreprise privée dans le champ de la recherche. Heureusement, je perçois beaucoup de résistance chez mes collègues. C'est sur leur éthique qu'il faut compter, c'est celle-là qu'il faut pratiquer.

À cet égard, j'accorde beaucoup d'importance au syndicalisme des professeurs au sein du milieu universitaire. On en parle rarement ; pourtant c'est une partie importante de la vie universitaire. Le syndicalisme à l'université est le chien de garde à l'endroit de l'administration, mais aussi à l'endroit de nos propres penchants. Le syndicalisme a ses hauts et ses bas, mais dans mon université, par exemple, le syndicalisme des professeurs a eu un effet très bénéfique sur notre mentalité, sur notre esprit critique quant à l'importance de l'autonomie, de l'indépendance intellectuelle. Notre syndicalisme ne se préoccupe pas que des salaires, loin de là. Il se soucie des conditions de travail des professeurs, mais aussi de l'orientation politique et intellectuelle de l'ensemble de l'université.

Ianik Marcil
Économiste

LE RÔLE DU PRIMAIRE

Le rôle primordial du primaire est de favoriser l'imagination, la créativité, la curiosité et la confiance en soi. L'enfance est un monde en soi ; c'est vraiment là que tout se décide. On a tous eu un prof magique qui nous a allumés, qui nous a dit : « Vas-y. Lâche-toi. 1 + 1 = 2, on le fait comme ça, mais si tu veux l'écrire à l'envers, écris-le à l'envers. Pour autant que tu arrives à 2, ça va être *cool.* » C'est à cet âge-là qu'on découvre les possibilités de l'intellect et du corps. C'est là qu'on se construit, mais c'est aussi là qu'on peut se déconstruire...

Je connais une école primaire qui a pratiquement été conservée sous une cloche de verre depuis 1953. Les petites filles reçoivent des crayons Barbie à leur anniversaire, et les petits gars, des Superman. Il y a des petites filles qui piquent des crises parce qu'elles n'aiment pas les poupées et qu'elles adorent les superhéros, et elles se font chicaner : « Non, les petites filles, c'est avec des poupées que ça joue. » C'est anecdotique et caricatural, mais ça existe.

Un enseignant comme on en veut tous pour nos enfants, pour les enfants qu'on aime, ferait exactement le contraire. Il aurait cette capacité de pousser l'imagination des jeunes. Il les mettrait au défi. Au sortir de l'école primaire, selon moi, il faut être curieux de tout, avoir bâti sa confiance et pouvoir se dire : « Moi, je suis capable. »

LE RÔLE DU SECONDAIRE

Pour être bien outillés, tous les élèves doivent acquérir une solide culture générale, peu importe ce qu'ils deviendront plus tard, qu'ils se destinent à faire un postdoctorat en physique nucléaire ou à devenir plombier. Et une culture générale de la vieille école, comme en inculquaient les écoles de la IIIe République française ou les *liberal arts* américaines, autant dans les humanités que dans les sciences.

LE RÔLE DU CÉGEP

Le cégep est une chose merveilleuse, mais aussi une espèce de satellite qui tourne autour du système d'éducation. On ne semble pas trop savoir quoi en faire; ce n'est pas une finalité en soi. En fait, c'est une penture entre le secondaire et l'université, pour ceux qui y vont. Sinon, c'est un fournisseur de formation très appliquée, laquelle n'a pas besoin d'être donnée au cégep puisque ce pourrait très bien être fait dans des écoles professionnelles. En Angleterre, dans les Tech Schools, il n'y a pas de cours de français, d'anglais, de philo; il n'y a pas de cours généraux. On va là pour avoir un diplôme. C'est un peu le même principe que nos diplômes d'études professionnelles au niveau secondaire : c'est isolé des autres formations plus globales mais, là-bas, c'est l'équivalent de notre niveau technique. Il y a des Tech Schools en biotechnologie, et on n'y enseigne que les métiers reliés à cette discipline.

Selon moi, il faudrait séparer ces deux besoins puisqu'ils sont complètement différents. Suivre des cours de philo et de français, et apprendre un métier de technicien juridique, ce n'est pas du tout la même chose, ça n'a pas de lien. Ça ne veut pas dire que ça ne peut pas être regroupé à la même enseigne, que ça ne peut pas être donné par le même établissement, mais actuellement, les programmes ne sont pas faits comme ça.

LE RÔLE DE L'UNIVERSITÉ

On amalgame trop, même si ça a longtemps eu sa raison d'être et sa logique, le besoin fonctionnel – le besoin de médecins, de comptables, d'ingénieurs, etc. –, avec des formations plus globales. Ça répond pourtant à deux besoins différents.

Je vais prendre l'exemple de mon métier. Pour devenir économiste, il faut faire une maîtrise durant laquelle on passe à peu près un an et demi à apprendre les aspects techniques de la profession : les statistiques, les méthodes, etc. Le reste de la formation, c'est de la structuration de pensée. Ça peut être relatif à l'histoire économique, à l'histoire de la pensée, à l'étude comparée de systèmes et de politiques économiques ; bref, à tout ce qu'est la vie économique. La connaissance approfondie et l'analyse de ces éléments permettent de forger notre pensée, afin qu'on soit capable de comprendre la grosse bébelle qu'on appelle « économie ».

C'est vrai pour à peu près toutes les disciplines, et ça devrait être central. Mais ça l'est de moins en moins parce qu'on veut satisfaire les besoins du marché. La portion de l'enseignement où on apprend la « cuisine » prend de plus en plus de place parce qu'on souhaite former de bons petits travailleurs formatés qui peuvent commencer à travailler dès leur diplôme obtenu.

Le problème est que, lorsqu'ils finissent leur maîtrise ou leur baccalauréat, les bons petits travailleurs formatés possèdent des outils qui ne fonctionneront plus, qui ne seront plus adaptés dans un an ou deux. Dans beaucoup de secteurs, les employeurs se contrefoutent des compétences techniques.

Personnellement, comme employeur, je n'ai jamais demandé à un candidat en entrevue : «Êtes-vous capable de faire une régression ? D'aller chercher telle donnée chez Statistique Canada ? » Je vais le lui apprendre s'il ne le sait pas ! Ce sera dans son plan de formation de deux ou trois mois. De toute façon, ce qu'il a appris risque de ne pas me plaire ; je vais vouloir qu'il fasse les choses avec une *twist* particulière, celle de ma *business* à moi.

Comme employeur, je veux voir si le candidat est capable de décoder l'ensemble, la globalité de l'environnement dans lequel il va travailler : s'il sait bien écrire, comprendre et analyser, s'il est capable d'être autonome dans ses actions et sa pensée, s'il a les connaissances spécifiques à sa profession.

Le rôle de l'université devrait être de leur apprendre ça. Mais on met de plus en plus ces éléments de côté au profit d'une formation purement appliquée qui s'efforce de correspondre aux besoins du marché du travail. On erre complètement. On ne répond pas à l'objectif poursuivi, on rate le coche.

Madeleine Thibault

Enseignante retraitée s'étant spécialisée
dans le soutien aux élèves en situation de grande
difficulté d'adaptation et d'apprentissage

LE RÔLE DU PRIMAIRE

Au primaire, l'enfant apprend à lire, à écrire et à compter. Mais, au-delà de cela, il sort de son milieu familial et entre en contact avec la société. Il apprend qu'il y a autre chose que la famille et commence à en découvrir les règles et les secrets. L'école primaire a pour mission d'ouvrir les enfants au monde et de leur en présenter le plus de facettes possible.

LE RÔLE DU SECONDAIRE

Au secondaire, l'adolescent continue bien sûr à apprendre à lire, à écrire et à compter. L'école doit aussi l'aider à mieux établir sa personnalité, à faire des liens entre ses différents apprentissages et à se projeter, tant par ses idées que par ses goûts et ses champs d'intérêt, comme jouant un rôle dans la société. L'école secondaire doit commencer à former des citoyens responsables.

LE RÔLE DU CÉGEP

Le collège permet de préparer concrètement les jeunes pour le métier ou la profession qu'ils ont choisi. Comme les étudiants arrivent à la période de l'intelligence rationnelle, l'enseignement collégial va aborder les questions philosophiques. C'est essentiel d'inclure la philosophie dans le parcours scolaire du jeune. C'est à ce moment-là que la philosophie a sa pertinence.

LE RÔLE DE L'UNIVERSITÉ

L'université doit quant à elle jouer un rôle primordial dans la recherche fondamentale, et ce, sans attaches mercantiles avec, par exemple, les entreprises qui lui fournissent des laboratoires. L'université doit demeurer libre ; c'est ce qui a fait sa force par le passé. L'université devrait pouvoir guider sa communauté. C'est un haut lieu de savoir et ça doit le rester. L'université devrait pouvoir fournir des experts à la société et non pas être à sa remorque.

Mario Asselin

*Ancien directeur d'école, candidat de la Coalition avenir Québec
aux élections provinciales de septembre 2012*

LE RÔLE DU PRIMAIRE

Au préscolaire et au primaire, une valeur manque : l'éducation aux délais. Il faut dès maintenant introduire la notion d'attente chez les enfants. Ils ont tout trop vite ! La société, depuis vingt ou vingt-cinq ans, a vraiment misé là-dessus. Les deux parents travaillent, il y a une forme d'urgence dans la consommation, et aujourd'hui les enfants se lèvent et ne font que peser sur des pitons, du réveille-matin au lave-vaisselle en passant par le grille-pain. Ils ont du *feed-back* très rapidement ; ils ont presque instantanément ce qu'ils veulent. La valeur de l'attente et de l'effort n'existe pas pour eux.

Il faut apprendre aux enfants que, même s'ils ont un besoin ou une envie, il se peut qu'ils ne puissent pas le satisfaire avant quelques heures, quelques jours, quelques semaines, quelques mois. Idéalement, cet apprentissage devrait se faire à la maison. Mais on n'a pas le choix de l'aborder à l'école parce qu'il est impossible d'enseigner efficacement à des enfants qui n'ont pas appris à composer avec les délais.

Un enfant qui ne réussit pas immédiatement ce qu'il entreprend et qui n'a pas eu d'éducation aux délais va paniquer. Il va se sentir incapable, pas intelligent, pas bon. Il va lui-même mettre un cadenas sur sa faculté d'apprendre.

La capacité des enfants à patienter a beaucoup diminué. Je suis un fervent utilisateur des technologies, mais sur ce plan-là, elles renforcent le piège parce que les élèves cherchent et trouvent tout rapidement. Nous avons donc d'autant plus l'obligation de faire de l'éducation aux délais, car le phénomène ne va aller qu'en s'amplifiant.

Ensuite, la confiance en soi est primordiale. Dès qu'on a un tout-petit à la maison, on bâtit sa confiance.

La préservation de cette confiance chez les enfants du primaire devrait être notre sport national.

On a tendance à penser que les jeunes sont gâtés et que, au contraire, il faudrait les brasser. Le manque de confiance en soi est la pauvreté d'aujourd'hui. Pourquoi se suicident-ils? Pourquoi lâchent-ils l'école? C'est parce que la confiance passe en dessous de zéro.

LE RÔLE DU SECONDAIRE

Le premier élément à partir duquel on peut (re)prendre confiance est le corps. Il faut absolument augmenter l'activité physique au secondaire, toute activité par laquelle un adolescent réalise quelque chose avec son corps.

Un corps, ça ne ment pas. On ne peut pas dire : « Ce n'est pas moi qui l'ai fait » ou « Je n'en suis pas responsable ». Le jeune examine et analyse ce que son corps a fait, se regarde, se parle, puis comprend et gagne en confiance.

Le secondaire est le lieu parfait pour remplir le quotidien des enfants de choses qu'on peut accomplir avec son corps. Ce n'est pas qu'une question de sport : les arts plastiques, le théâtre, etc., sont des activités qui concernent le corps. L'objectivation qui découle de ça favorise beaucoup la confiance.

Avec le temps, j'ai compris que les jeunes qui ne s'affirment pas, qui rentrent facilement dans les rangs, qui sont constamment dans le silence, sont réellement les enfants dangereux... Ils finissent par éclater, tôt ou tard. Les parents d'un enfant qui reste comme ça jusqu'à dix-sept ou dix-neuf ans trouve ça facile, mais ça peut être dangereux. Plus tard, quand il aura vingt-six ou trente ans, les parents se diront : « J'aurais dû le brasser avant. »

C'est un symptôme : quand on est heureux dans le moule de l'enfant passif, c'est que l'école nous a rendus comme ça. Je suis pour l'augmentation des droits de scolarité, mais je suis ravi que les jeunes se soient levés au printemps 2012, qu'ils se soient animés, affirmés. C'est fondamental : si on ne donne pas confiance aux enfants dans le système d'éducation, on ne le fera jamais. S'affranchir du regard des autres, c'est aussi lié à cette question de confiance et d'affirmation. Les jeunes d'aujourd'hui sont capables de s'opposer à des points de vue différents du leur. Leur prise de parole publique est facilitée par le fait qu'ils peuvent publier du contenu partout. Ils n'ont pas cette inhibition que les gens de ma génération avaient quant au jugement des autres, à l'interdiction de parler en public.

LE RÔLE DE L'UNIVERSITÉ

L'université est un lieu de travail où on établit des vocations, où on forme des professionnels, mais il y a trop de désintérêt. Les professeurs obnubilés par la recherche m'exaspèrent. La pédagogie ne les intéresse pas. On devrait revaloriser la fonction de professeur puisque celui-ci a la responsabilité de transmettre des savoirs à un groupe de futurs professionnels.

Je n'ai rien contre la recherche ; au contraire, on en a besoin, mais ce n'est pas normal qu'à la moindre occasion, les professeurs s'arrangent pour ne pas avoir à donner des cours. Ce sont des chargés de cours qui enseignent à l'université. Les étudiants le disent régulièrement : ils veulent rencontrer des professeurs. Les chargés de cours font du bon travail – j'en suis un –, mais ça reste des chargés de cours ! Je ne comprends pas que l'université fonde son capital sur des chargés de cours. Ça m'apparaît antinomique.

Il faut qu'à l'université on retrouve le goût de la transmission des savoirs, sans que le professeur ait la prétention que tout doit passer par lui. On est dans une économie de l'abondance, surtout sur le plan des données. Toutes les données ne sont pas des connaissances, mais pour le devenir, elles doivent subir l'épreuve des vérifications, ce qu'une bonne grille de lecture peut favoriser.

Communiquer des savoirs, c'est aussi transmettre des grilles de lecture. Trop de jeunes ont appris à contourner

les grilles de lecture en l'absence d'autorité du professeur.
Dans les années 1950 et 1960, ce que le prof disait, c'était
la vérité. Aujourd'hui, les jeunes sont suspicieux, ils se
méfient. Le professeur doit s'affirmer. Il doit avoir un
tamis dans sa poche et le sortir constamment : « Ce que tu
viens de dire, on va le passer au tamis, juste pour être sûr...
As-tu vérifié tes sources ? Sais-tu d'où ça vient ? Qui en est
l'auteur ? » C'est absent à l'université... Ce n'est pas pour
rien que Wikipédia s'est établi comme une folie !

Maryse Perreault
Conseillère politique au ministère du Travail, de l'Emploi
et de la Solidarité sociale, ancienne présidente-directrice
générale de la Fondation québécoise pour l'alphabétisation

LE RÔLE DU PRIMAIRE

Le primaire doit donner les compétences de base que sont la maîtrise de la lecture, de l'écriture et des mathématiques ; des fondements de culture générale en histoire, en géographie et en philosophie – ou, du moins, un certain apprentissage de la réflexion par soi-même – ; et des règles de citoyenneté et de vie en société. Il y a des choses formidables qui se font dans les écoles – l'enseignement coopératif, par exemple –, des choses vraiment intéressantes dont on pourrait s'inspirer, mais qui sont dispersées, qui ne sont pas portées par un leadership. Il faut aussi s'assurer que les enfants qui quittent un niveau pour aller au niveau supérieur aient les acquis nécessaires. Si ce n'est pas le cas, qu'on les garde à l'école primaire parce que c'est là que ça coûte le moins cher de s'en occuper.

LE RÔLE DU SECONDAIRE

Au secondaire, on accède à des savoirs plus complexes qui vont mettre à contribution les bases établies au primaire, qui vont pousser plus loin la somme des connaissances. On commence à différencier les préférences, les motivations, les talents des jeunes. Progressivement, ils acquièrent de l'autonomie dans l'apprentissage. C'est très important : il faut que les élèves se responsabilisent par rapport à ce qu'ils ont à apprendre à l'école. Le secondaire devrait faire évoluer les jeunes vers une prise en charge de leur propre développement.

La vie parascolaire est aussi nécessaire pour constituer un sentiment d'appartenance, un sens de la communauté dans les écoles. À l'adolescence, on peut s'impliquer dans des activités avec nos amis pour créer un milieu de vie qui est le *fun*. C'est entre autres pour que tous les élèves puissent le faire qu'il faut à tout prix régler la question de l'intimidation.

Pour différentes raisons, le secondaire est actuellement est un passage extrêmement difficile pour beaucoup d'adolescents. J'ai personnellement beaucoup souffert parce que j'étais une bonne élève. J'avais des bonnes notes, mais j'étais isolée. Ce n'était pas valorisé; c'était mal vu d'être *nerd*.

J'ai fait mon secondaire dans une polyvalente de cinq mille étudiants; c'est sûr que ça n'aide pas. J'habitais près de Sainte-Thérèse, mais la seule polyvalente de la région des Basses-Laurentides était à Deux-Montagnes. Il y avait deux *shifts*: de sept heures le matin à une heure et demie, et de deux heures à sept heures le soir. C'était une usine! Moi, j'étais sur le quart de soir; c'était épouvantable. En plus, toutes les fenêtres de l'école étaient à douze pieds de hauteur: c'était construit comme une prison! On se sentait effectivement comme des prisonniers; c'était vraiment terrible.

Maxime Mongeon
Auteur, éditeur et coordonnateur de services éducatifs

LE RÔLE DU PRIMAIRE

Apprendre à lire, à écrire et à philosopher. Le rôle de l'école primaire, c'est d'enseigner mais aussi de permettre à l'enfant de se développer, comme une fleur qui s'épanouit. Il faut le laisser prendre sa place et découvrir ce qu'il aime. On n'a pas besoin de tests pour ça...

Des études montrent que c'est en troisième année du primaire que la perception que les élèves ont de l'école change et qu'ils commencent à décrocher. Quand ils arrivent à la maternelle, la plupart trouvent ça le *fun*, l'école, parce que c'est un véritable lieu d'apprentissage. Sauf que, vers la troisième année, ils comprennent que l'école sert à les classer du premier au dernier. Ça devient un peu plus plate... Leur perception bascule complètement.

La pédagogie par projets, ça fonctionne parce que les enfants demeurent motivés; c'est vital.

LE RÔLE DU SECONDAIRE

Relativement le même rôle qu'au primaire. J'énonce donc le même constat : on évalue trop. On ne devrait faire passer que quelques tests en fin de parcours pour s'assurer que tous ont les compétences requises pour aller au cégep.

Au secondaire, je prône une approche qu'on dit «orientante» : amener les jeunes à se promener dans le paysage des possibles et leur faire découvrir ce qu'ils aiment. Il y a plein de gens sans passion parce qu'on ne les a pas exposés à ce qui aurait pu devenir, pour eux, une passion. Il faut donc s'assurer que les élèves touchent à toutes sortes de choses pendant l'adolescence : arts, sports, sciences ; professions manuelles, intellectuelles, libérales, etc. Si on veut qu'ils puissent considérer toutes ces avenues, il faut leur en parler !

Quand des élèves visitent les locaux de la formation professionnelle, ils voient ce qu'est le travail d'un ébéniste, d'un plombier, etc. Si un jeune connaît et aime ces métiers tôt dans son cheminement, il va faire le bon choix, un choix en connaissance de cause, et il sera heureux dans la vie. Mais ce n'est pas ainsi qu'on présente les choses au secondaire. La formation professionnelle, c'est une voie de garage. C'est : « Si tu n'es pas bon à l'école, on va t'envoyer là. » Il faut briser cette mentalité. Il faudrait faire vivre aux adolescents des formules leur permettant d'explorer certains métiers, de faire l'expérience, très concrète, de ce que cela représente au quotidien, un peu à la manière d'un apprenti qui met la main à la pâte.

LE RÔLE DE L'UNIVERSITÉ

Aller en profondeur dans un domaine. C'est le temps de devenir un spécialiste pour, ensuite, transmettre son savoir aux autres.

Normand Baillargeon
Essayiste et professeur en philosophie de l'éducation

LE RÔLE DU PRIMAIRE ET DU SECONDAIRE

Au primaire, on devrait transmettre systématiquement les savoirs nécessaires à l'acquisition des autres savoirs, c'est-à-dire les habiletés de base : lire, écrire, compter. Nos méthodes d'enseignement de la lecture et de l'écriture sont globalement déficientes et ne sont pas conformes à ce qui ressort de la recherche scientifique. Quand on le dit, on se fait taper sur les doigts, mais c'est un fait. Un des meilleurs prédicteurs du décrochage scolaire, ce sont les difficultés dans l'apprentissage de la lecture en première et en deuxième année...

On attend aussi d'un programme scolaire qu'il favorise le bien-être des gens, qu'il prépare le lien politique. Ce sont des choses qu'on veut enseigner, mais c'est largement « poutineux ». Je pense qu'on se leurre beaucoup.

Je pense qu'on se leurre beaucoup quand on dit que l'éducation physique, c'est l'éducation à la santé, et on donne des examens écrits dans cette matière. On veut en faire des citoyens informés, on donne des cours de citoyenneté ; c'est un peu aberrant. On s'éloigne de la mission première, qui est de transmettre les savoirs.

Dans les années 1960 et 1970, beaucoup de critiques de l'école ont établi le concept de « curriculum caché ». C'est une idée absolument géniale dont il faut prendre conscience. Si on veut transmettre la forme de savoir que sont les mathématiques, on enseigne les mathématiques. Le programme est là ; on enseigne les équations quadratiques. Mais les gens faisaient remarquer que, par cette seule transmission, par la seule manière dont elle se fait, toutes sortes de choses sont aussi transmises en plus des savoirs. Si on est dans une école où il y a les garçons d'un côté et les filles de l'autre, on apprend cette séparation des garçons et des filles. Si un enseignant est très dogmatique, on apprend qu'il y a une seule bonne réponse. Dewey appelle ça les « apprentissages collatéraux ».

Cette idée de « curriculum caché » est importante ; on devrait s'en servir positivement et s'y fier. C'est beaucoup plus utile et beaucoup plus fort pour fonder le bien-être, la moralité et la citoyenneté.

LE RÔLE DE L'UNIVERSITÉ

Je préconise, pour l'enseignement supérieur, une université publique et une éducation libérale, c'est-à-dire la transmission d'un idéal libéral de l'éducation. Je défends l'idée que, même dans les domaines professionnels, l'éducation devrait viser une libéralisation de l'enseignement. On ne forme pas un comptable à l'université de la même manière qu'on le formerait dans une école professionnelle. On doit enseigner avec le souci de ce que c'est qu'une éducation libérale, avec des vertus épistémiques, dans l'esprit d'un élargissement de la vision du monde.

Avoir des « vertus épistémiques », c'est connaître certaines formes de savoir, mais se rendre compte qu'on ne sait pas tout, que notre culture personnelle est parfois limitée, qu'il y a d'autres points de vue que le nôtre, qu'il y a dans le monde des gens qui conçoivent différemment l'équilibre à maintenir entre la liberté et l'égalité, qu'il y a des libertariens et qu'ils ne sont pas tous cinglés, qu'il y a des conservateurs qui ont des arguments valables. Il est souhaitable pour la société que les gens soient informés, capables de débattre, qu'ils aient des connaissances de base pour comprendre et situer des enjeux, qu'ils puissent répondre à un argument sans être démagogues.

LE RÔLE DE L'ÉDUCATION

La distinction conceptuelle entre « éducation » et « scolarisation » est très importante. L'école scolarise, l'école est un lieu de scolarisation. On pourrait très bien être éduqué sans jamais avoir été à l'école. Il y a des gens qui pratiquent le *home schooling*, l'éducation à domicile, il y a des autodidactes qui se sont formés largement ou entièrement en dehors de l'école. L'école, c'est un moyen d'acquérir l'éducation, ce n'est pas l'éducation en soi.

C'est vrai qu'à l'école on peut faire plein d'autres choses qu'uniquement éduquer et transmettre des savoirs. De fait, on confie à l'école d'autres missions que simplement celle d'éduquer. On demande à l'école de socialiser les jeunes. Ce n'est pas malsain que les jeunes, à l'école, s'initient à des normes, des valeurs et des règles sociales. Les enfants sortent de leur famille, où ils sont aimés et privilégiés, et ils découvrent d'autres sortes de relations, plus abstraites, plus formelles, qui les préparent à la vie citoyenne, et ce, à l'intérieur de l'école. C'est un lieu où ils ne sont plus le petit bébé de maman... L'école, en ce sens, socialise, et c'est tout à fait sain.

L'école qualifie aussi ; c'est raisonnable. On s'est donné cet outil-là : l'université va servir à former des comptables, des philosophes et des avocats. L'école prépare à l'emploi. Ce n'est pas malsain non plus que ce soit comme ça, mais ça ne doit jamais se faire dans l'oubli de ce que c'est que l'éducation.

Bref, j'aime distinguer quatre fonctions que peut remplir l'école. L'école peut éduquer ; c'est sa mission première. L'école peut participer au bien-être, à une vie plus heureuse, plus riche, plus pleine, plus humaine. L'école peut cultiver le lien social et politique, préparer des citoyens. L'école peut qualifier.

Je pense que la vocation centrale et capitale de l'école, c'est celle de d'éducation. Or, je souhaite qu'on prenne conscience de la façon dont cette fonction-là contribue aux autres. Par exemple, je crois qu'à l'école les gens ont de nombreux moyens d'aller dans le sens de la deuxième fonction que j'ai définie, celle d'aider au bien-être, à une vie plus heureuse, plus riche, plus pleine, plus humaine. En remplissant sa mission de transmettre des savoirs, l'école participe déjà à ça. Si, à l'école, un élève a la chance d'entendre parler de Bach alors qu'il vient d'un milieu où on n'écoute que du rap et de la musique populaire, l'école lui aura fait connaître cet univers musical.

La transmission de savoirs ouvre des horizons aux gens. Ça leur permet de toucher à des choses qu'ils ne connaissaient pas. Ça les dépayse. La littérature cultive l'imagination, les arts élargissent les perspectives, les sciences nous font percevoir des beautés qu'on ne soupçonnait pas. L'apprentissage des mathématiques est, pour certains, la découverte d'une splendeur hors du commun! La simple transmission de savoirs, la mission première de l'école, peut donc contribuer au bien-être. Le lien social et politique peut aussi être formé à travers la transmission de savoirs.

Enfin, c'est certain qu'on peut raisonnablement demander à l'école de qualifier les gens, de les préparer à l'emploi, mais pour moi, cette situation ne peut aboutir qu'à une aporie. On vit dans un monde tellement inégalitaire, tellement injuste, où beaucoup de gens passent par l'école et se retrouvent à la fin dans une situation de non-emploi ou d'emploi subalterne. Il faudrait changer la société pour que l'école, telle que je la conçois, puisse véritablement préparer les gens à gagner leur vie dans un monde égalitaire. Il n'y a pas de solution simple. On n'évitera pas, dans le monde dans lequel on vit, que l'université forme des gens au travail. C'est normal, c'est correct, c'est bien. Mais si on le fait en respectant ce qu'est l'éducation, les gens qui vont être formés vont l'être d'une façon particulière.

Prenons l'exemple des comptables. On peut imaginer des gens formés en comptabilité uniquement pour répondre aux exigences de la profession de comptable, des gens purement et simplement au service des grandes entreprises, donc des anticitoyens à beaucoup d'égards. Mais on peut aussi imaginer des gens ayant reçu une éducation donnée à l'université dans une perspective large qui considère la comptabilité comme une pratique inscrite dans l'histoire, une formation qui tient compte du rôle politique de la comptabilité. On peut envisager que les comptables issus de ce genre de formation soient plus utiles, mieux outillés en tant que citoyens, que les comptables qui n'auraient pas reçu cette formation, et ce, même dans notre société. Ainsi, l'éducation telle que je l'entends a même un rôle de garde-fou à jouer dans la qualification.

Explorer les formes de savoir, ça permet de découvrir qui on est. Il y a un slogan célèbre en pédagogie qui dit que, pour enseigner les mathématiques à John, il faut connaître John. Je n'aime pas beaucoup ce slogan. Je trouve qu'il a une portée très limitée. Je pense plutôt, comme le philosophe Alain, que c'est en enseignant la musique à John que je vais savoir s'il est musicien. Je crois que c'est important de repenser l'éducation dans cette perspective-là. C'est en parcourant des formes de savoir que l'identité se déploie. C'est quand on nous enseigne les mathématiques qu'on constate si on aime les mathématiques. C'est en goûtant à la littérature qu'on découvre si on se passionne pour l'univers de la littérature.

Souvent, il n'y a que l'école pour donner ça. Le monde dans lequel vivent les enfants est souvent extrêmement limité : leur famille, leur environnement, les choses qu'ils connaissent. À l'école, c'est l'ouverture vers un autre univers. L'école contribue à la découverte du monde sur le plan individuel.

Sur le plan collectif, je crois que l'école prépare la conversation démocratique et le lien politique. C'est un type de lien très particulier qui, selon moi, est fondé sur des vertus épistémiques, sur la possibilité de dialoguer, d'échanger ensemble démocratiquement, de façon réelle et constructive. Je pense qu'en transmettant des savoirs et des vertus épistémiques, l'école fait une contribution essentielle à la construction de l'identité collective.

L'école n'est pas une institution qui se contente de refléter les valeurs de la société ; c'est une institution où existent des valeurs différentes. Dans une école, si un enfant fait une erreur d'addition, ce n'est pas grave. Par contre, si un comptable fait une erreur d'addition, c'est dramatique. Ce ne sont pas les mêmes normes qui s'appliquent. L'école est un lieu où les règles sont différentes de celles de la société.

L'espoir des gens de gauche auquel je me réfère et que je partage, c'est la possibilité de penser, de construire, d'imaginer un monde nouveau que porte l'école. Je m'inspire d'Hannah Arendt sur ce point. L'école doit être un lieu conservateur. C'est à ce prix-là que les gens qui passent par l'école pourront être révolutionnaires, pourront vouloir changer le monde et l'imaginer autrement. Et, pour ça, il faut un lieu distinct.

Je trouve parfois désastreuse notre relation au savoir. Partir du rap pour enseigner la musique aux jeunes, c'est une catastrophe. Le rap, ils l'ont partout, à longueur de journée. De la musique populaire, ils n'entendent que ça à la télé, à la radio. À l'école, on pourrait les initier à un autre monde, à d'autres valeurs.

Robert Bisaillon
Ex-enseignant et ancien sous-ministre adjoint de l'Éducation

LE RÔLE DU PRIMAIRE

L'école est un levier que la société s'est donné. Au primaire, il ne faudrait pas échapper un seul élève. Tout se décide là, entre deux et douze ans. Quand j'enseignais en sixième année, j'étais capable de dire lesquels parmi mes élèves on avait tellement maganés qu'ils ne s'en sortiraient jamais. Quand je suis arrivé au ministère, j'ai fait la vérification, et effectivement, ils ne s'en sortent jamais.

Alors, il faut n'en échapper aucun. Ils sont en plein développement. Peut-on leur donner une chance? C'est la seule période de leur vie où ils n'ont pas de comptes à rendre sinon pour travailler et apprendre.

Je me suis rendu compte que sous le slogan «l'école pour tous», auquel j'adhère, il n'y avait pas «l'école pour chacun». Il y a un moule, et très tôt, le sort en est jeté. C'est un problème de justice sociale. On entend dire qu'il faut ramener les enfants du privé au public parce que les cohortes se sont appauvries, mais aussi qu'il faut exclure des classes les enfants qui ont des difficultés. Où est la justice là-dedans? C'est contradictoire... «L'école pour tous», ça devrait aussi être «l'école pour chacun».

Le rôle de l'enseignant est d'être un passeur culturel, d'amener l'enfant de la «culture première» à la «culture seconde», telles que les nommait Fernand Dumont. Il faut que l'enseignant trace la voie pour l'élève et qu'il soit lui-même en perpétuel apprentissage. La première des choses qu'on dit aux jeunes, c'est qu'ils vont avoir à apprendre toute leur vie; ça demeure vrai pour les adultes et les enseignants!

LE RÔLE DU SECONDAIRE

Au secondaire, il faut casser le moule. La culture des jeunes, qu'on peut qualifier de «sous-culture», existe en dehors de

112

l'école et est en concurrence avec l'école. Les adolescents mettent en œuvre des stratégies dans les jeux vidéo par exemple, mais ces stratégies ne sont jamais réinvesties à l'école. Les enseignants, pour la plupart, ne connaissent pas ça, ce n'est pas leur monde…

Il faut faire éclater le potentiel des jeunes et leur donner beaucoup de responsabilités. Plus on leur en donne, plus ils en prennent. Or, on leur demande de ne pas bouger, de ne pas faire d'esclandres.

Quand j'étais à Québec, au Conseil supérieur de l'éducation, il arrivait que le directeur de l'école de ma fille m'appelle pour me dire : «Qu'est-ce que je vais faire avec ta fille? Elle conteste tout le temps!» Je demandais : «Est-ce qu'elle est impolie?» Il me disait non. Je répondais : «Alors, je n'ai aucun problème avec ça. Le problème, c'est toi.»

LE RÔLE DE L'UNIVERSITÉ

C'est là qu'il y a le plus de clientélisme. Le financement est attribué par tête de pipe, alors plus il y a de monde, plus c'est payant; on y donne même des formations de niveau secondaire pour attirer les gens. On investit plus dans le béton que dans la qualité et on n'intègre pas le résultat des recherches dans les pratiques. Je trouve ça scandaleux.

Durant deux ans, j'ai enseigné à l'université l'analyse des politiques et des enjeux de l'éducation à des gens à la maîtrise ou issus des directions d'école. C'était très difficile pour moi de maintenir un certain niveau d'exigence. Mes étudiants n'avaient pas envie que je les pousse à réfléchir, que je les remette en question…

Je donnais des cours pratiques et je disais : «Rapportez-moi un cas que vous vivez au travail, et on va le traiter ensemble.» Je me souviens du gros bonhomme qui me dit : «Moi, c'est ma première année d'enseignement, et la directrice nous a maudit une réunion le jeudi à seize heures!» Je lui demande où est le problème, et il me répond : «C'est parce que je joue au hockey, moi, à cette heure-là !» On les a élevés comme s'ils pouvaient tout concilier : le travail, les loisirs, les amours, les finances, la consommation. Ils pensent qu'ils peuvent faire tout ça en même temps…

ÉCOLES PRIVÉES OU ÉCOLES PUBLIQUES ?

Camil Bouchard
Psychologue, ex-député

Publiques. Point.

Diane Boudreau

Enseignante au secondaire récemment retraitée

Ce qui me contrarie comme enseignante, c'est que les écoles privées soient subventionnées au détriment des écoles publiques, qui auraient besoin de beaucoup plus de ressources. J'aimerais aussi qu'on m'explique certaines décisions que je ne comprends pas dans la gestion du ministère de l'Éducation, entre autres certaines dépenses exagérées. Il y a à peu près dix-sept mille élèves et vingt-trois commissaires dans la commission scolaire où j'enseignais. À Montréal, il y a cent dix mille élèves et également vingt-trois commissaires. Pourquoi autant de commissaires dans les petites commissions scolaires? Ces quarante-six commissaires sont payés de 7000 à 10 000 $ par année, la présidente, environ 70 000 $. C'est incohérent.

Fabienne Larouche
Scénariste

Publiques «publiques» et privées «privées», c'est-à-dire complètement financées par les utilisateurs. C'est une question longuement et maintes fois débattue. Dans l'optique de la privatisation de la santé et des autres services sociaux, je ne vois pas pourquoi le choix d'une école privée ne serait pas pleinement assumé par celui qui le pose. D'autant plus que les écoles privées, en obtenant leur part de fonds publics, profitent d'un avantage indu par rapport à l'école publique.

Le choix d'un financement intégralement privé de l'école privée a naturellement des conséquences. Avons-nous suffisamment de riches pour nourrir ces écoles privées ? Probablement pas. En enlevant au privé le soutien de l'État, à tout le moins les subventions directes, nous ferions disparaître bon nombre de ces écoles. Je pense qu'on peut trouver des systèmes hybrides, par exemple avec des déductions et des crédits d'impôt. Un parent qui investirait 35 000 $ par année dans l'instruction de son enfant aurait droit à un crédit équivalent.

De la sorte, ceux qui le désirent pourraient continuer, en toute liberté, à financer des écoles sur lesquelles ils ont une prise plus ferme, des écoles plus élitistes sans doute. Quant à l'école publique, accessible à tous, elle bénéficierait d'un financement accru ; il pourrait ainsi y avoir moins d'élèves par classe, et plus de livres, de matériel et de temps pour les enseignants.

Guy Rocher

Sociologue

Le Québec a besoin de revaloriser le système d'éducation public. Je reprends mon refrain habituel : nous avons, au cours des vingt-cinq ou trente dernières années, engagé notre système d'enseignement sur la voie de l'élitisme avec la valorisation de l'enseignement privé – cette valorisation est notamment inscrite dans son financement. Cela crée un déséquilibre aux dépens d'une partie de la population, ceux qui ne profitent pas de l'enseignement privé.

Cet enseignement privé est très largement financé par les fonds publics et il fait toujours subtilement sa publicité *contre* l'enseignement public. Quand je lis les brochures des établissements privés, c'est comme si c'était dans ces collèges et ces établissements qu'on avait le bon encadrement, la « bonne éducation », alors que dans le public...

La vision de l'enseignement privé a pollué celle de l'enseignement public. On s'est mis à faire, à l'intérieur même des écoles publiques, une nouvelle forme de hiérarchisation avec des programmes et des projets spéciaux. Or, une grande part du problème de décrochage vient de cette hiérarchisation en faveur de l'élite. Nous favorisons les plus doués à la fois dans l'enseignement privé, par le financement notamment, et dans l'enseignement public.

La pauvreté est un des facteurs premiers du décrochage. Or, la pauvreté financière et économique s'accompagne souvent de la pauvreté culturelle. L'attention qu'on prête au décrochage sert en ce moment à masquer l'iniquité de notre système d'enseignement. Au lieu de se préoccuper véritablement de ceux qui ont moins de chance, on continue à favoriser les plus doués. C'est le monde à l'envers ! On a vraiment orienté tout notre système d'enseignement en faveur des plus doués.

L'enseignement privé s'est donné tous les bons rôles : il n'a pas intégré la polyvalence et n'accepte pas tous les élèves. Le tri est important : on accepte environ deux cents élèves sur mille cinq cents candidats. Cela se fait aux dépens du système public qui, lui, doit absorber l'ensemble de la population. Le plus grave, c'est la dévalorisation de l'enseignement public au secondaire. Le secondaire est le pivot du système d'éducation. C'est au secondaire que se font les orientations, que se traversent les phases difficiles de l'adolescence, que s'installe ou non une certaine culture et que s'acquiert la curiosité intellectuelle. Or, le secondaire est le terrain de chasse privilégié du privé. Ce qui me préoccupe et m'inquiète, ce ne sont pas les collèges privés au niveau collégial, ce sont les établissements secondaires privés...

Il faut être plus exigeant envers notre système d'enseignement public. Il faut en attendre plus pour être capable d'en être fier. Il faut aussi abolir le privé tel qu'il fonctionne actuellement. Il faudrait, progressivement, sur quelques années, transférer les fonds qui sont consacrés au privé et les verser au public. Il faudrait le faire graduellement ; ça ne peut pas se faire en une année, sinon on créerait une perturbation énorme du point de vue financier, mais ça demeure la seule solution. Aucun gouvernement n'a, jusqu'à maintenant, eu le courage d'aborder ce problème.

Le gouvernement de René Lévesque, avec Jacques-Yvan Morin et Camille Laurin, avait imposé un moratoire sur le développement de nouveaux établissements d'enseignement privé pendant un certain temps. C'est le plus loin qu'on a pu aller pour mettre un frein à l'augmentation du nombre d'écoles privées. Depuis que le moratoire a été levé, on a continué et on continue encore. Voilà, pour moi, un problème majeur de notre système d'enseignement.

Ianik Marcil
Économiste

Je suis allé à l'école privée au secondaire parce que j'habitais dans le fond du bois et qu'il y avait une école privée en face de chez moi. Une fondation privée offrait des bourses aux élèves qui n'avaient pas les moyens. Présentement, je trouve qu'on a un certain équilibre sans que ça pose problème dans la société. Contrairement à d'autres endroits dans le monde, il n'y a pas, au Québec, d'écoles privées super élitistes. Il n'y a pas, comme en Angleterre, l'équivalent d'un *high school* où ça coûte 25 000 ou 50 000 livres sterling par année, et où il faut absolument avoir une particule nobiliaire ou être de sang royal pour être admis. On n'a pas ce fossé immense...

Je dirais même que ce système suscite un peu d'émulation de la part d'écoles publiques. Ainsi, afin d'attirer les jeunes, se sont créés de nombreux programmes internationaux ou spécialisés en sport-études et arts-études.

Madeleine Thibault

Enseignante retraitée s'étant spécialisée
dans le soutien aux élèves en situation de grande
difficulté d'adaptation et d'apprentissage

Je n'ai pas fait carrière dans l'école publique pour venir la décrier aujourd'hui, ce serait bien malvenu. Je crois à l'école publique, qui accomplit des miracles dans des conditions souvent extrêmement difficiles. L'école publique n'a pas l'avantage de sa rivale, c'est-à-dire de choisir ses élèves et de pouvoir les remercier quand ils ne correspondent plus à ses attentes ou à ses normes. L'école publique accueille tous les enfants et réussit très souvent là où sa concurrente échoue ou baisse les bras. Cela devrait être suffisant, je pense, pour équilibrer les subventions et pour cesser de comprimer les fonds versés à l'école publique. Je ne dis pas d'abolir l'école privée, mais je pense qu'il faut diminuer les subventions ou les réduire pour rendre à l'école publique ce qui lui revient et pour l'aider à assumer son rôle, qui n'est pas tout à fait le même.

Mario Asselin

Ancien directeur d'école, candidat de la Coalition avenir Québec aux élections provinciales de septembre 2012

Ma réponse, ce serait l'école autonome. Premièrement, aucune école subventionnée n'est vraiment privée ; elles sont toutes semi-privées, semi-publiques. Je ne vois pas beaucoup de sens, dans l'état actuel de choses, à maintenir ce système tel qu'il est.

J'ai toujours eu de la difficulté avec le tri social. Le Québec compte cent quarante écoles privées subventionnées. Or, on prête attention à vingt ou vingt-cinq écoles – en grande majorité de l'île de Montréal – qui, sur six demandes, n'acceptent qu'un seul individu. On peut les nommer, on les connaît. C'est ce genre d'écoles privées qui me pose problème.

Cependant, les écoles privées ne forment pas un bloc monolithique. Il y a les quelque quatre-vingt-quinze autres écoles qui ne font pas de sélection, qui manquent d'inscriptions et qui acceptent tous les enfants qui s'y présentent.

Ça, ce sont des écoles autonomes. Il faut amener d'autres écoles à être autonomes de la même manière parce que ce type d'école répond aux besoins de certains parents. De plus, il faut faire en sorte que les écoles privées et publiques continuent de se *challenger*, mais à chances égales.

En ce moment, les chances sont inégales. L'école publique est toujours défavorisée : elle n'est pas capable d'engager des gens et de les garder car le lien d'emploi n'est pas avec l'école, mais avec la commission scolaire. Il y a trop de roulement de personnel dans le secteur public.

Les parents le savent : dans les familles recomposées, quand tu as cinq ou six papas, mamans, grands-parents, ça multiplie les problèmes, même si tout le monde est plein de bonne volonté. Dans une école où ce ne sont jamais les

124

mêmes enseignants, il est impossible d'avancer ensemble dans la même direction. C'est un sujet tabou dont on ne parle jamais parce qu'il ne faut pas toucher aux priorités syndicales...

Je ne suis pas sûr que le collège Jean-de-Brébeuf ait besoin des mêmes subventions que les quatre-vingt-quinze autres écoles semi-privées. Installons un système où les écoles privées qui sélectionnent seront traitées différemment de celles qui ouvrent leurs portes à tous et qui acceptent n'importe qui, comme l'école publique.

Maxime Mongeon
Auteur, éditeur et coordonnateur de services éducatifs

Même si j'y suis allé et que j'ai adoré ça, si on parle d'un projet de société, je préférerais qu'il n'y ait pas d'écoles privées, que tout le monde passe par le même système scolaire.

Je souhaiterais d'abord qu'il n'y ait pas de sélection au primaire, puis, par égalité des chances, qu'il y ait des projets motivants pour tous. Pourquoi certaines écoles prendraient-elles uniquement les meilleurs? «J'ai un projet musical. Je vais donner un examen et je vais choisir les élèves qui ont les notes les plus hautes.» Les projets, à l'école, c'est pour découvrir des passions! On n'a pas besoin d'être bon en mathématiques pour aller découvrir son goût pour le sport ou la musique.

Les écoles d'éducation internationale sont très populaires, mais ce sont de pseudo-écoles privées! Pourquoi ne pas proposer le même genre de projets à tous, sans faire passer de tests à l'entrée? Je prône le non-élitisme.

Il faut demander aux établissements de mettre en place des projets stimulants afin de s'attaquer à la motivation scolaire. Faisons en sorte que la priorité d'un établissement scolaire soit la motivation de l'élève, et non pas une place au palmarès des meilleures écoles. Lors du passage du primaire vers le secondaire, il y a une chute de 30 % des taux de réussite dans les commissions scolaires. C'est certain : 30 % des élèves s'en vont au privé! Normal que le taux de réussite des élèves diminue au passage, il n'y a aucune surprise là! Les écoles privées ne sont pas meilleures. Les élèves, oui : ils sont sélectionnés.

Normand Baillargeon
Essayiste et professeur en philosophie de l'éducation

Je ne veux surtout pas être dogmatique ou intransigeant : je comprends très bien que, dans notre société, les gens aient différentes façons de concevoir la liberté, l'égalité, le rapport entre les deux. Dans un monde comme le nôtre, une institution comme l'école, c'est très complexe. Il faut d'abord faire face à des exigences légitimes relativement aux droits des enfants. Les enfants ont droit à un avenir ouvert, le droit de sortir du petit monde de leur famille, le droit de découvrir l'univers. C'est important que l'école respecte ces droits-là.

Il y a également les droits des parents ; ils ont leur mot à dire sur ce que vont devenir leurs enfants. Ils ont des valeurs qui doivent être protégées et non pas bafouées à l'intérieur de l'école. La collectivité a, elle aussi, des exigences légitimes à faire valoir à l'endroit de l'école. Quand on met tout ça en relation, on comprend à quel point le problème est complexe entre le privé ou le public.

En ce moment, mon idéal, c'est une école publique, gratuite, commune, ouverte à tous et financée par l'État. Mais je suis conscient que, dans le monde dans lequel on vit, dans le respect minimal des droits des enfants, des parents et de la collectivité, c'est difficile à mettre pleinement en application. Il risque donc d'y avoir encore longtemps des écoles privées. Je souhaiterais toutefois qu'elles ne soient pas subventionnées.

Robert Bisaillon

Ex-enseignant et ancien sous-ministre adjoint de l'Éducation

Dans les grandes villes, il y aura de plus en plus d'offre de formation privée. Les milieux où il y a des syndicats purs et durs sont les milieux où il y a le plus d'enfants au privé. Pourquoi? Les syndicats ont tenu pendant vingt ans un discours selon lequel on ne pouvait pas donner une éducation de qualité au public à cause des compressions, du manque de ressources, etc. On comprend les parents qui hésitent à confier leurs enfants à ce système-là...

Des directeurs d'école à Montréal m'ont déjà dit : «En toute conscience, je ne peux pas conseiller à un parent d'envoyer son enfant dans une école publique : c'est le délégué syndical qui mène!» Eux-mêmes ne confient pas leurs enfants à l'école publique... C'est ce que j'appelle de l'hypocrisie ou un double discours.

J'ai envoyé mes enfants au public et, quand ça ne faisait pas mon affaire, je débarquais dans l'école. Je préférais changer l'école que de changer de système.

Ce ne sont pas les enseignants qui font la différence qualitative au privé, ce sont l'accompagnement et l'encadrement. Par exemple, un enfant qui ne fait pas ses devoirs aura plus d'ennuis s'il est inscrit au privé qu'au public.

Quand j'enseignais à Belœil, 62 % de mes élèves ne voyaient pas leurs parents avant 19 h le soir. L'école finissait à 15 h 07! Évidemment, il y avait des enfants en échec parce qu'ils étaient laissés à eux-mêmes, parce qu'ils tombaient dans la délinquance douce, parce que les parents n'avaient pas le temps de suivre...

Environ le quart des enfants allaient être en échec. J'ai dit à mes collègues qu'on avait trois possibilités : appliquer la loi de Darwin et se dire que c'est normal de *scrapper* une génération, que ça ne nous regarde pas ; se dire que, comme ces enfants-là ne peuvent pas faire leurs devoirs à l'école, on devrait ne plus donner de devoirs; ou prendre la responsabilité sociale d'organiser un service d'aide aux devoirs avec un accompagnement qualifié de la part des enseignants. La troisième option n'a pas été retenue; mes collègues ont répondu que ça ne faisait pas partie de leurs tâches... C'est vrai, mais ça fait partie de la responsabilité de l'école. C'est ce surplus d'âme qui manque...

Par ailleurs, on souffre encore des effets du concordat entre l'Église et l'État. On a inscrit, dans le préambule de la Loi sur l'instruction publique et du Conseil supérieur de l'éducation, au moment de la création du ministère en 1964, le droit des parents de choisir un établissement d'enseignement pour leurs enfants. Autrement dit, on a décidé de ne pas abolir les collèges classiques, ce qui a cristallisé le moule. Aujourd'hui, on le reproduit en continuant de financer les écoles privées à 60 %...

Évidemment, par obligation, le clientélisme s'est installé dans les écoles secondaires et même primaires. Quand on veut ce qu'il y a de mieux pour ses enfants mais qu'on ne peut pas les envoyer au privé, on tente de recréer, au public, une forme semblable d'élitisme, d'où l'apparition, pour les meilleurs élèves, d'une panoplie de programmes et de projets spéciaux. Les enfants qui ont été moins stimulés, quant à eux, demeurent dans des classes dites «ordinaires». C'est un *catch 22*! Alors que fait-on? On abolit tous les projets particuliers? On a pourtant sauvé beaucoup d'enfants avec ça... C'est très complexe.

ÉDUCATION GRATUITE OU PAYANTE?

Camil Bouchard
Psychologue, ex-député

Je souhaite les études le plus près possible de la gratuité. Je ne vois pas de vertus à faire payer les gens pour apprendre. C'est un service essentiel au développement dans la vie, et l'État devrait l'assumer. L'État, c'est nous, ce sont les contribuables, et il me semble qu'on a tout intérêt à ce qu'on puisse réussir ça ensemble.

Combien nous coûterait la gratuité? Sept cent cinquante millions de dollars par année. C'est l'équivalent de la baisse d'impôts qu'a consentie Jean Charest en 2007, une semaine après avoir été élu, parce qu'il l'avait annoncé une semaine auparavant. Personne n'attendait cette baisse, pas même les membres de son propre parti...

Donc, les Québécois payent sept cent cinquante millions de dollars d'impôts de moins par année. Est-ce que ça a fait une différence dans leurs poches? Personne ne s'en aperçoit...

Par ailleurs, il y a des modèles de gratuité qu'on ne veut pas suivre, comme le modèle français. Contrairement aux Suédois, par exemple, les Français n'investissent pas dans leurs infrastructures d'apprentissage.

Il y a aussi un choix politique à faire: une fois qu'on dit que c'est gratuit, il faut s'organiser pour que l'argent arrive à la bonne place. Les Québécois envoient cinquante-cinq milliards de dollars par année au gouvernement fédéral, dont une bonne partie est dépensée dans des manœuvres militaires qu'on ne cautionne pas. C'est un choix de société...

La gratuité demande un choix fiscal. Il faut que les Québécois soient d'accord. Autrement dit, est-ce qu'on veut réintroduire l'impôt dont on a été soulagé il y a quelques années pour pouvoir offrir la gratuité scolaire? C'est un choix de société, et ça prend des gouvernements inspirants pour arriver à convaincre la population que c'est le bon.

Fabienne Larouche
Scénariste

Gratuite mais assortie d'obligations de performance ; non pas de compétitivité, mais d'effort. L'effort est bien mal vu dans notre société. En fait, il est associé au Mal. L'école qui forme des cancres dans la philosophie du moindre effort est aussi celle qui viendra par la suite justifier l'échec social. L'effort est un fait de la vie, une exigence de la nature. On ne peut pas l'éliminer ; on ne peut pas le refuser. L'effort conduit au mieux-être individuel et collectif par le dépassement de soi et par l'ouverture à des possibilités renouvelées, au bénéfice de tous. Le médecin le plus performant sera le plus utile socialement. Même chose pour l'enseignant, pour l'électricien, pour l'ingénieur. L'effort peut aussi être mis à profit à l'intérieur même de l'école, entre élèves, les plus performants épaulant les moins performants.

Le manque d'effort est intolérable à l'école. La plupart du temps, il y a des raisons. Il faut les trouver, les comprendre et redonner à chacun la pleine jouissance de ses potentialités. Le manque d'effort à l'école est une forme d'obésité intellectuelle. La tolérer, c'est criminel, à tout le moins socialement irresponsable. Le manque d'effort est un problème social typiquement québécois, une mollesse inhérente au système qui a vénéré la prise en charge par l'autre : par un curé, par un médecin, par un syndicat... Le manque d'effort, et surtout l'apologie de la paresse et sa défense instituée, est en train de nous tuer.

Guy Rocher
Sociologue

La gratuité serait la seule manière d'établir un accès juste pour tous à l'université. On a longuement réfléchi là-dessus pendant la commission Parent, et c'est de là que me vient cette conviction.

En 1965, l'enseignement secondaire n'était pas gratuit. Les collèges classiques coûtaient de l'argent, et c'était cher pour les familles. C'était un grave obstacle. Par exemple, le frère Untel raconte comment il n'a pas pu, lui, aller au collège de Rimouski parce que sa famille était trop pauvre. Alors, pour s'instruire, il est entré chez les frères, comme bien des garçons de milieux pauvres le faisaient.

À partir de 1967-68, quand on a ouvert les cégeps, la commission Parent avait recommandé qu'ils soient gratuits, et ils sont restés gratuits. À ce moment-là, les gens s'étonnaient et disaient : « Mais il faut payer pour s'instruire ! » Non. Si on veut vraiment qu'il y ait un égal accès à l'enseignement collégial, il faut qu'il soit gratuit. La commission Parent disait qu'à l'université c'était la même chose sauf que ce n'était peut-être pas possible immédiatement et que ça devait se réaliser plus tard.

On peut financer l'université par d'autres moyens que par les droits de scolarité (de toute façon, les droits de scolarité ne représentent qu'une partie du financement des universités). En particulier, par un régime fiscal après les études : le diplômé qui a bénéficié des études universitaires paie, après coup, ses droits de scolarité et les verse selon son revenu. Il peut ainsi étaler sa dette différemment.

Les études, c'est une dette, mais ce n'est pas une dette qu'on doit établir sur le plan personnel, individuel ; c'est une dette qu'on doit à la collectivité. En ce sens, la seule manière juste de la payer, c'est de le faire selon les revenus dont on bénéficie parce qu'on a étudié à l'université. Celui qui a fréquenté l'université pendant plusieurs années et qui est enseignant au secondaire n'a pas le revenu de celui qui est médecin chirurgien, on le sait. Pourtant, il a peut-être fait des études aussi longues...

Qu'on le veuille ou non, les droits de scolarité sont un obstacle à l'entrée à l'université pour une partie considérable de la population, pour qui payer l'université est impossible.

La gratuité au cégep a sauvé le Québec. Si on compare avec le système canadien-anglais, la deuxième année du cégep est équivalente à l'université. Donc on a déjà la gratuité à l'université, d'une certaine manière, pour une année !

J'accorde une grande importance au rôle qu'a joué la gratuité du cégep, particulièrement pour les filles. Je reçois beaucoup de témoignages de femmes quand je donne des conférences. Elles me disent : « Monsieur Rocher, sans ce que vous avez fait – la Révolution tranquille, la commission Parent, les changements de la réforme –, je ne serais pas ici, mais pas du tout. Je suis une enfant de la Révolution tranquille. Je suis une enfant de la réforme. » J'ai entendu ça souvent de la part de femmes qui sont, par exemple, enseignantes au cégep, à leur grande surprise : « Je n'aurais jamais pensé que je deviendrais enseignante au cégep... Quand je suis arrivée à l'école secondaire, c'était gratuit. Quand je suis arrivée au cégep, c'était encore gratuit. Et, finalement, aller à l'université, ce n'était pas trop cher. Mes parents ont pu m'aider, j'ai travaillé, et finalement, me voici enseignante au cégep. Je n'en reviens pas ! »

Des témoignages comme celui-là, j'en ai entendu souvent de la part d'hommes, mais surtout de femmes. La grande montée des femmes un peu partout dans notre société a eu pour condition préalable la gratuité du cégep.

On oublie aussi que le gouvernement, en 1967-68, a décidé d'insérer le financement des cégeps dans les finances publiques pour arriver à la gratuité. Il a fallu un réarrangement budgétaire et fiscal important. La population l'a accepté. Je n'arrive pas à comprendre pourquoi on s'étonne, pourquoi on considère comme utopique le projet de la gratuité à l'université, alors qu'il y a des pays où c'est monnaie courante…

Non seulement il faudrait établir la gratuité, mais il faudrait ajouter à la gratuité une aide financière aux étudiants qui en ont besoin. C'est le cas par exemple en Finlande, en Suède et au Danemark : non seulement l'inscription à l'université est gratuite, mais on y offre un salaire étudiant ! Lorsque l'étudiant est admis à l'université, il a automatiquement un salaire pour payer ses frais de subsistance.

Le Québec a une culture et des institutions particulières. Nous sommes les seuls en Amérique du Nord, et peut-être même au monde, à avoir institué le cégep. De passage dans les autres provinces canadiennes, il m'est arrivé parfois de me faire dire : «Nous devrions nous inspirer de votre cégep, mais nous sommes incapables de le faire. Le passage du *high school* à l'université est un passage très difficile, et l'université est très mal équipée pour accueillir ces *freshmen*. Vous, au Québec, vous avez compris ça et avez institué ce niveau intermédiaire, qui prépare à l'université pour plusieurs, tout en étant une introduction au marché du travail pour d'autres. Vous avez eu une idée géniale. Jamais nous ne pourrons mettre la hache dans notre système d'enseignement, mais vous l'avez fait.»

Je suis certain cependant qu'aujourd'hui on ne pourrait y arriver…

Madeleine Thibault

*Enseignante retraitée s'étant spécialisée
dans le soutien aux élèves en situation de grande
difficulté d'adaptation et d'apprentissage*

L'école primaire et secondaire est en principe gratuite. Dans les faits, elle ne l'est pas parce que ça coûte cher d'envoyer ses enfants à l'école. Je crois que ce sera toujours inévitable.

Avant le printemps 2012, j'étais plutôt d'accord avec l'augmentation proposée à l'université. Mais, avec la crise étudiante, le débat a beaucoup évolué. C'est allé dans tous les sens, mais on a aussi beaucoup réfléchi. On a entendu les réflexions de bien des spécialistes, et mon opinion s'est modifiée.

Aujourd'hui, je serais portée à dire que, oui, l'école devrait être gratuite, mais pas simplement comme ça, sur un coup de baguette magique ; plutôt après une longue discussion collective. Si la société en fait le choix, l'école pourrait être gratuite. Ce serait assez intéressant d'aller jusque-là.

Les CPE sont presque gratuits. Ils ne le sont pas totalement, mais comparativement à ce que ça peut coûter dans les autres provinces du Canada et dans certains autres pays, ils le sont presque.

J'aimerais bien gager que, à l'exemple des CPE, la gratuité ou la quasi-gratuité scolaire serait profitable au Québec.

Maryse Perreault

Conseillère politique au ministère du Travail, de l'Emploi
et de la Solidarité sociale, ancienne présidente-directrice
générale de la Fondation québécoise pour l'alphabétisation

Elle n'est pas gratuite de toute façon. Envoyer un enfant à l'école coûte très cher...

Je pense qu'on part de trop loin et qu'on n'a pas assez de diplômés universitaires pour se permettre de rajouter un obstacle. Le principal frein à l'éducation postsecondaire est à l'intérieur des gens. C'est le : « Ce n'est pas pour moi. » S'il y a en plus une grosse augmentation des droits de scolarité, plusieurs seront sans doute portés à se dire que c'est encore moins pour eux. Je ne pense pas qu'une entrave supplémentaire soit souhaitable.

Se demander comment sont gérées les universités et ce qu'elles font avec l'argent m'apparaît pas mal plus intéressant. Ce n'est plus vraiment l'université, au sens où on l'entendait auparavant... C'est de la recherche appliquée à des fins essentiellement commerciales. Les choix qui ont été faits, dont ce fameux « tout à l'entreprise », font en sorte que les gens qui veulent un simple baccalauréat sont défavorisés parce qu'il n'y a plus d'embauche de professeurs et que la recherche fondamentale est abandonnée. Les étudiants au baccalauréat se retrouvent donc presque exclusivement avec des chargés de cours.

Les chargés de cours ont des conditions de travail iniques. Ça influence la qualité de l'enseignement et les services que les jeunes reçoivent. Dans ce système, même en payant des droits de scolarité plus élevés, les étudiants n'en auront pas plus pour leur argent.

Et puis, c'est bien beau que chacun paie sa juste part, mais les jeunes ne vivent pas à l'université ! La bouffe n'est pas fournie ! Ils assument donc le prix de tout le reste ! Ce sont des contribuables, eux aussi.

Si on veut regarder qui fait sa part, j'aimerais bien qu'on scrute la façon dont sont gérées les universités et les choix qui y ont été faits au cours des quinze ou vingt dernières années. Il y a toutes sortes de glissements et choix discutables. On sacrifie la grande masse des étudiants au profit d'une élite payée par l'entreprise pour aller dégager de la plus-value. C'est correct, mais il ne faut pas que ce soit juste ça.

Normand Baillargeon
Essayiste et professeur en philosophie de l'éducation

L'école est un bien commun et public. Le savoir n'est pas une marchandise. Il faut lutter contre la privatisation du savoir. Dans le dernier budget du Parti libéral, au début de l'année 2012, les compressions dans les sommes allouées à la recherche fondamentale étaient catastrophiques. On ne se rend pas compte qu'on coupe la branche sur laquelle on est assis! Sans la recherche fondamentale, il n'y a même plus de recherche appliquée : la recherche appliquée s'alimente à la recherche fondamentale. Au bout de je ne sais combien d'années après la disparition de la recherche fondamentale, la recherche appliquée fera pitié!

À l'université, on devrait transmettre des biens com-possibles, des biens que plusieurs peuvent détenir en même temps sans que quiconque en soit privé. Un appartement à Montréal, ce n'est pas compossible. On ne peut pas tous le posséder. Il y a un propriétaire et quatre ou cinq personnes qui vivent dedans. Une voiture non plus, ce n'est pas compossible. Mais le texte *Cet amour* de Jacques Prévert – mon écrivain préféré –, c'est un bien compossible. Je l'ai fait lire à plusieurs personnes, mais ça ne m'en a pas enlevé la jouissance.

L'université devrait massivement être vouée à la défense de biens compossibles. Quand on voit des choses comme l'appropriation privée des résultats de la recherche ou des brevets, ce n'est plus compossible. Le savoir n'est plus compossible lorsqu'il est possédé par quelqu'un.

Dans un entretien qu'il m'accordait, Noam Chomsky racontait qu'au MIT un étudiant, à son examen post-doctoral, a répondu à une question de la manière suivante : « Je connais la réponse, mais je ne peux pas la donner parce que je suis sous contrat avec un professeur qui est sous contrat avec une entreprise qui exige la confidentialité.» Rendu là, on voit bien que l'éducation n'est plus un bien compossible...

Un de mes amis qui enseigne en sciences naturelles est récemment allé à une soutenance de thèse de doctorat. Toutes les personnes présentes ont dû signer un accord de confidentialité parce que la recherche était subventionnée par une entreprise. L'université devrait aussi être un lieu où on défend la liberté de recherche des professeurs. Ça aussi, j'ai peur que ce soit menacé à partir du moment où il y a une privatisation de l'université. Donc, pour lutter contre cette marchandisation du savoir, l'université devrait être gratuite, sans l'ombre d'un doute. J'ai appuyé les militants du printemps 2012 de toutes mes forces.

POURQUOI Y A-T-IL *ENCORE* DU DÉCROCHAGE ?

Camil Bouchard
Psychologue, ex-député

Les médias nomment «décrochage» ce qui n'en est pas. Le 30 % de jeunes décrocheurs dont on parle au Québec, c'est surtout 30 % de gens âgés de dix-sept à vingt ans qui sont en retard dans leur cheminement scolaire et qui n'ont pas obtenu leur diplôme dans les temps requis. Le pourcentage augmente toujours puisqu'on additionne les cohortes. Mais ce n'est pas du décrochage...

Le chiffre réel, c'est 17,2 % de jeunes de dix-sept ans et plus qui ont abandonné l'école et qui ne se sont réinscrits nulle part dans le système. Ce qui veut dire 83 % d'accrochage! Ce n'est pas si mal...

Selon les mêmes critères, dans les années 1970, le véritable décrochage était à 40 %. Ça replace un peu les choses... Il faut faire attention à la désinformation; quand on veut pouvoir varger sur le ministère que l'Éducation, c'est ce qu'on fait.

Il y a évidemment place à l'amélioration, mais ce n'est pas vrai que nous sommes les cancres de la planète. On a fait beaucoup de progrès au cours des dernières années.

Que peut-on faire de plus? D'abord, il faut s'assurer que tous les enfants qui auraient avantage à profiter des services de garde éducatifs soient dans le système. Le docteur James Fraser Mustard avait l'habitude dire: «Le vrai *brain drain*, la fuite des cerveaux, ce n'est pas la perte de médecins qui s'en vont aux États-Unis, c'est celle des enfants entre zéro et cinq ans.»

Le décrochage, pour beaucoup, s'inscrit dès ce moment de la vie. À Montréal, 38 % des enfants sont mal préparés pour commencer l'école. Beaucoup sont des enfants d'immigrants qui ne connaissent pas la langue française. Il leur faudra deux ou trois ans pour bien l'apprendre. Il y a aussi des enfants de milieux populaires qui n'ont pas eu la stimulation nécessaire parce que leurs parents sont toxicomanes, en dépression, etc. Ces parents ne croient pas à la réussite de leur enfant car ils ne croient plus à la leur. Souvent, ils décident de ne pas envoyer leur enfant en garderie parce qu'on entend partout qu'il manque de places dans les services de garde, alors que les places sont occupées par des enfants qui en auraient moins besoin que certains autres...

S'ils ne fréquentent pas la garderie et demeurent exclusivement dans leur milieu familial jusqu'à l'âge de la maternelle, ces enfants prendront le petit train qui s'arrête partout plutôt que le TGV. Ils auront plus de difficulté que les autres. Or, les enfants des milieux défavorisés qui ont fréquenté les services de garde gagnent quinze points en matière de développement cognitif et de réussite scolaire par rapport à ceux qui ne les ont pas fréquentés. C'est effarant! C'est là qu'il faut commencer.

J'ai rencontré un producteur de films américain qui prépare un reportage sur les garderies au Québec parce qu'aux États-Unis, ils n'en reviennent pas de ce qu'on a fait. On a, au Québec, cette architecture incroyable. Elle a été maganée par les libéraux, et je leur en veux à mort! On avait un réseau dont nous étions fiers qui est devenu problématique parce qu'ils en ont fait un objet politique et partisan.

Il faut qu'on offre aux milieux populaires les meilleurs environnements de stimulation possible. En ce moment, les enfants des milieux défavorisés sont sous-représentés dans nos services de garde. Les y envoyer serait la première chose à faire pour lutter contre le décrochage.

Il nous faut aussi une enquête nationale tous les trois ans pour savoir si nos enfants arrivent plus ou moins bien préparés à l'école. C'est la santé publique qui a tiré la sonnette d'alarme, ce n'est pas le milieu de l'éducation. C'est la santé publique qui a fait passer un test à tous les enfants de l'île de Montréal sur leur état de préparation, ce qu'on appelle la «maturité scolaire». On a découvert que 38 % des enfants étaient mal préparés. Dans Parc-Extension, un quartier multiethnique, c'était 42 %...

Il faut aussi équiper les écoles primaires pour que les enseignants soient à la fois compétents et capables d'utiliser leurs compétences. Je ne parle pas seulement d'équipements comme les tableaux blancs interactifs ; l'équipement seul ne sert à rien. C'est l'interaction entre l'enseignant, le tableau et l'enfant qui produit un résultat.

Durant le campagne électorale de 2007, André Boisclair et moi avions décidé de proposer une diminution de la taille des classes de 30 %, mais les experts ont ramené ça à 10 % parce qu'ils n'arrivaient pas dans leurs chiffres. Sauf que 10 %, ça ne change rien du tout ! La recherche scientifique nous dit que, quand on fait passer le nombre d'élèves par classe de trente à vingt, on voit un effet. Si on diminue de trente à vingt-sept, il n'y en a pas ! C'est de l'argent jeté par les fenêtres...

Ma formule contre le décrochage serait celle-ci : « On ne doit pas viser pas à diminuer le taux de décrochage, on doit vouloir avoir la meilleure école au monde. » Pour y arriver, on a besoin de plusieurs ingrédients : petite taille des classes ; enseignants soutenus et bien préparés ; accompagnement, formation continue et évaluation de la démarche des enseignants ; ordre professionnel de l'enseignement ; capacité d'interaction entre l'école et les parents.

Si je devais choisir entre des orthophonistes et des agents de relation qui suivent les enfants pas à pas, j'opterais pour les agents de relation parce qu'ils accompagnent les enfants et donnent du *feed-back* aux parents. Si c'est nécessaire, il faut évidemment aller voir des professionnels qui sont en mesure de « soigner » les enfants, mais ce n'est par leur rôle de les accompagner. Or, il faut accompagner les enfants et informer les parents pour qu'ils participent au processus.

La conciliation famille-travail est très difficile. Il va falloir qu'on introduise, dans nos politiques familiales, des plages de disponibilité des parents. À l'heure actuelle, il faut mentir à ses patrons pour être un parent responsable ! Il faut faire semblant d'être malade !

Il y a des mesures à aménager pour que les parents soient plus disponibles et qu'ils aient plus de contacts avec l'école. Les parents ont un rôle primordial à jouer dans la lutte au décrochage.

Il y a, au Saguenay–Lac-Saint-Jean, une organisation qui s'appelle le CRÉPAS qui en a fait la démonstration. On y fait depuis des années une campagne de mobilisation et de promotion de la réussite et de la persévérance scolaires, ce qui a permis de diminuer de moitié le taux de décrochage. La question qu'on posait quotidiennement à tous les parents était : « Avez-vous encouragé votre enfant aujourd'hui ? » Juste ça.

Il faut encourager les enfants, leur donner une tape sur l'épaule de temps en temps, récompenser leurs efforts. Ce n'est pas très compliqué, mais on l'oublie souvent.

Fabienne Larouche
Scénariste

Parce qu'il y a encore, d'une part, des pauvres et, d'autre part, des parents indifférents non pas à leurs enfants, mais aux apprentissages de ceux-ci. De plus, l'école n'a plus l'aura qu'elle avait avant, depuis qu'elle est devenue l'antichambre des usines. Avec ce double message véhiculé par le système (1. tu es un travailleur en devenir; 2. l'école n'a pas à te trouver un emploi), on rend les enfants «fous» de leur instruction. Dois-je apprendre pour bien gagner ma vie ou pour bien la vivre? Dois-je compétitionner avec les autres ou pas? Suis-je meilleur que l'autre ou pas? À quoi me servira d'être le meilleur si on me répète qu'on ne doit pas l'être? Si j'échoue, serai-je quand même promu? Quel sens devrais-je alors donner à cette promotion? Pourquoi devrais-je persévérer quand j'éprouve des difficultés puisque le système a déjà prévu pour moi des voies de garage? Est-ce que l'école sert à gagner sa vie? Qu'est-ce que ça donne d'apprendre à l'école des connaissances générales quand je peux apprendre rapidement les informations nécessaires à l'exécution d'une tâche comme apprenti? Pourquoi endurer la frustration à l'école quand le plaisir est accessible sur le marché du travail? Que vaut une école centrée sur les besoins du marché du travail quand le marché du travail m'est déjà accessible?

On décroche de l'école simplement parce qu'on a l'impression que le bonheur est ailleurs. Ce qui vaut pour l'élève vaut aussi pour l'enseignant. Les syndicats ont une sainte horreur de la hiérarchie établie par le mérite. Tous les enseignants sont bons. Tous sont égaux. Pas un seul ne s'élève au-dessus du lot.

Ianik Marcil
Économiste

Les conditions socioéconomiques de base sont le premier déterminant du décrochage. En même temps, l'amélioration des conditions socioéconomiques de base passe notamment par l'éducation. C'est l'œuf et la poule ! Parmi les causes du décrochage, il y a la vision d'avenir qu'on donne à notre belle jeunesse : « Tu vas aller à l'école pour avoir une job. » Ça ne fait rêver personne...

C'est un objectif correct de vouloir aller à l'école pour avoir un métier intéressant et valorisant, mais c'est de la bouillie pour les chats à dix ou même vingt ans ! À cet âge-là, on rêve de changer le monde, de s'impliquer, de connaître sa place dans tout ça. On ne veut pas seulement apprendre un métier...

Se faire chier à l'école dans le seul but de se faire chier plus tard au travail ! Je caricature, mais on dirait qu'il n'y a pas d'autres avenues ; on ne présente aucune autre raison aux jeunes. On ne leur dit pas que c'est le *fun*. Pourquoi ne leur dirait-on pas que ça ne sert à rien de concret ? Pourquoi ne leur dirait-on pas qu'à l'école, ils écriront de belles choses, expérimenteront des sports extraordinaires et des arts qui vont leur permettre de mettre en œuvre leur créativité ?

La seule chose qu'on semble vouloir valoriser est l'aspect utilitariste de l'école. Ce n'est peut-être pas le seul ni le principal déterminant du décrochage, mais c'est le substrat du reste. À un moment donné, les gens décrochent et deviennent de petits robots. Ils vont à l'école pour apprendre une job, payer leurs impôts, cotiser pour leur retraite, puis ils prennent leur retraite et meurent. Beau projet de vie stimulant...

C'est facile d'idéaliser le passé, mais on ne peut nier que l'école d'autrefois visait quand même une certaine formation des humanités dans le but de façonner le fameux «honnête homme», le citoyen cultivé. La fierté d'être allé à l'école, la fierté du prof venaient du fait qu'il y avait un aspect non utilitariste à l'éducation. Ça arrivait après... D'un coup, on se rendait compte que ça servait à quelque chose et on allait chercher des notions plus techniques. On n'entend plus beaucoup cette idée selon laquelle les études sont peut-être les plus beaux moments, les plus belles années d'une vie...

Il y a quarante ans, partout en Occident, les médecins étaient des humanistes. Ils écrivaient des romans, des thèses de médecine qui parlaient de problèmes sociaux, des réflexions sur la science en général, etc. Aujourd'hui, les médecins sont des supertechniciens, comme tout le monde...

Le décrochage au secondaire est un problème majeur, mais le décrochage à l'université l'est aussi, et on n'en parle pas beaucoup. Le taux d'abandon des études universitaires au Québec est environ le double de celui de l'Ontario. Pourquoi? On ne valorise ni l'école ni l'enseignement universitaire, et il y a un décrochage hallucinant. Il y a du bois de grève échoué sur les plages de l'université, et ça coûte cher... En ce sens, Mario Dumont a raison de dire que prendre vingt-sept ans pour faire un doctorat, ça n'a pas de sens.

Si on présente le diplôme universitaire comme tous les autres diplômes – une voie d'accès à une job –, certains finissent par se dire : «Pourquoi je le compléterais si une job vient de m'être offerte? Je la prends et je passe à autre chose.»

Quand j'enseignais, j'avais devant moi des gens qui voulaient une job. Leur seule raison d'avoir le cul assis sur une chaise dans ma classe, c'était d'avoir, un jour, une job. C'est tragique...

Le problème de décrochage tient, pour moi, à cette narration collective qui tourne autour de l'utilitarisme, du fonctionnalisme du projet éducatif, ce qui n'est ni le *fun*, ni *sexy*, ni enthousiasmant.

Madeleine Thibault

Enseignante retraitée s'étant spécialisée
dans le soutien aux élèves en situation de grande
difficulté d'adaptation et d'apprentissage

Du décrochage, il y en a toujours eu. Quand j'étais jeune, à partir de la septième année, un gros pourcentage des élèves s'en allait. Dans la famille de ma meilleure amie, tout le monde avait quitté l'école après la septième année, y compris elle-même. Si on continuait jusqu'en neuvième année, on avait un diplôme, et après la neuvième année, un nombre encore plus grand d'élèves partaient. Après la onzième année, à la fin de laquelle on recevait un autre diplôme, c'était vraiment la minorité qui poursuivait.

Est-ce que tous ces enfants étaient des décrocheurs? À mon avis, ils avaient décroché. Ils allaient travailler et ils décrochaient du système. À quel âge décroche-t-on? Habituellement, on parle de décrochage avant le cinquième secondaire, mais on peut décrocher au cégep, à l'université, on peut décrocher à peu près n'importe quand.

Récemment, une femme de ma génération me disait que l'école lui avait toujours énormément pesé, et ce, jusqu'à son entrée à l'université; elle a commencé à aimer l'école seulement à l'université. Elle était pourtant un modèle, une première de classe, mais elle n'était plus capable de supporter la rigidité de l'école.

L'école ne convient pas à tout le monde. Pour certains, l'école est le seul endroit où on doit faire des efforts, prendre des décisions et en assumer les responsabilités. Ça peut leur paraître très difficile.

Pour d'autres, l'école est complètement déconnectée de la société. Dans le film *Entre les murs* (qui a gagné la Palme d'or à Cannes en 2008), un professeur enseigne le plus-que-parfait du subjonctif; ses élèves se mettent à meugler: «Mais, monsieur, qui est-ce qui parle comme ça? Ce sont des tarés! Il n'y a personne, dans la société, qui parle comme ça!»

Ils n'avaient pas complètement tort... L'enseignant leur demandait de commencer par comprendre ce qu'il leur enseignait. Après, ils pourraient lui dire si ça avait sa raison d'être ou pas. Pour ces jeunes, l'école était très loin de ce qu'ils voyaient, de ce qu'ils entendaient dans leur communauté. Le professeur pouvait lire un texte simple, et à chaque ligne, un doigt levé pour demander : « Qu'est-ce que ça veut dire ça, monsieur ? »

L'école est déconnectée de la réalité pour certains enfants, mais il y a aussi le problème de la société de consommation, qui est très attirante pour les jeunes. Ils ont tellement hâte de pouvoir s'acheter tous les gadgets qu'ils voient dans les boutiques que ça les porte à aller travailler plus vite et donc à décrocher.

Beaucoup de jeunes ne trouvent pas leur place à l'école. Il n'y a rien pour les accrocher. Il faut, avec des projets différents, trouver les moyens de perdre le moins de jeunes possibles.

On a vu, par exemple, certains milieux cibler les élèves à risque, les retirer de l'école et les amener faire de la restauration de monuments anciens dans le sud de la France. Bien sûr, c'était encadré par des enseignants. Les élèves se levaient tôt, travaillaient en équipe, devaient préparer leur mortier, faire des calculs pour réparer certaines choses, etc. Ils n'étaient pas là, bouche ouverte, à attendre la sonnerie de la fin des cours ! Il fallait qu'ils soient parties prenantes de leur projet, autonomes dans leur travail. À la fin de l'expérience, les jeunes étaient très heureux, et plusieurs avaient décidé de continuer soit dans un métier, soit dans un autre type de formation. Ça leur avait donné confiance en eux parce que ce qu'ils faisaient avait un sens et qu'ils avaient leur place dans ce travail. C'est une façon d'aller chercher les décrocheurs. Il faut multiplier les projets de tous genres et utiliser notre imagination.

Je crois malgré tout que le décrochage, pour toutes sortes de raisons, va toujours exister. Ce qu'il faut éviter, c'est de perdre ceux qui sont « récupérables ».

Maryse Perreault

Conseillère politique au ministère du Travail, de l'Emploi et de la Solidarité sociale, ancienne présidente-directrice générale de la Fondation québécoise pour l'alphabétisation

La formation technique et professionnelle est victime des préjugés qu'on a contribué à créer. C'étaient les abrutis qui allaient là! Pourtant, aujourd'hui, pour être mécanicien, il faut *scorer*...

Il y a des gens qui sont à l'université ou qui l'ont fréquentée qui se rendent compte très tard qu'ils souhaitent revenir faire une technique au cégep. Ils n'avaient pas été mis en contact avec ce genre de profession... Il faut donner accès à ces métiers à tout le monde. Il y a des talents qui se perdent, ou qui sont employés à mauvais escient. Il faut donner accès aux filles à des métiers de gars. Il faut arrêter de penser que la formation professionnelle pour les filles, c'est coiffure, esthétique et fleuristerie!

On a tous besoin d'un plombier un jour ou l'autre. Ce sont des professions nécessaires, et on peut s'y accomplir, mais on ne le dit jamais. On en parle uniquement à ceux qui ont des difficultés en français... Je donnerais accès à ces connaissances à tous les élèves, à un moment donné dans l'année scolaire.

Je ferais des plateaux de travail au secondaire, quitte à rajouter une année. De toute façon, les étudiants qui arrivent au cégep ne sont pas tout à fait prêts; la maturité n'est pas toujours là. Ces plateaux de travail seraient organisés conjointement avec l'école des métiers. Les élèves auraient un choix d'activités; ils pourraient sélectionner certaines professions qu'ils souhaitent explorer en fonction de leurs affinités. Pour certains, ça confirmerait leur souhait d'aller à l'université, en plus de leur donner une expérience utile. Ce ne serait pas une perte de temps!

Les jeunes qui raccrochent le font parce que, sur le marché du travail, ils mangent leurs bas. Ils ne reviennent pas parce que l'école leur paraît plus attrayante, mais parce que la vie est dure sans un diplôme de cinquième secondaire. L'éventail des possibilités n'est pas très vaste... Le secteur manufacturier a diminué de moitié depuis trente ans et rapetisse chaque année. La voie facile vers un emploi rémunérateur n'existe plus. C'est la réalité qui ramène ces gens à l'école. Depuis une quinzaine d'années, on assiste à une immigration «économique». Les parents ont souvent des diplômes postsecondaires, mais leurs enfants vivent un problème d'intégration. Au Québec, on croit que l'intégration passe par la francisation, mais ce n'est pas assez; il faut plus que ça.

Il y a un problème supplémentaire en ce qui concerne les femmes immigrantes parce que, dans la définition traditionnelle des rôles, c'est l'homme qui doit gagner les sous. Celui-ci va se franciser en se retrouvant dans un milieu de travail francophone. Les enfants, eux, iront à l'école en français. Mais la femme restera à la maison... Elle perd le soutien familial et n'a pas accès à celui de la communauté. Elle se dévalorise et, quand elle en prend conscience, quand elle est enfin prête à utiliser les services en français, elle n'y a plus droit... Ces femmes deviennent dépendantes et se replient sur elles-mêmes. Ce sont les enfants qui servent d'interlocuteurs entre la mère et la société.

En ce moment, à Saint-Laurent, la Commission scolaire Marguerite-Bourgeoys a un projet spécial. On sélectionne des parents pour les amener à l'alphabétisation par l'intermédiaire des élèves. Ces parents vont à la même école que leurs enfants, ils communiquent ensemble, ils apprennent simultanément plein de choses; c'est formidable. C'est un projet-pilote prometteur qui fonctionne. On doit refuser des gens!

Maxime Mongeon
Auteur, éditeur et coordonnateur de services éducatifs

Les élèves décrochent parce que l'école est plate. Elle ne l'est pas pour tout le monde – il y a des profs qui font des miracles –, mais lorsqu'on classe les enfants du premier au dernier, c'est le *fun* pour le premier, peut-être pour le deuxième et le troisième. Après ça, c'est moins le *fun*... Certains seront tentés de décrocher, mais il y a toutes sortes de façons de les raccrocher.

La pédagogie par projets est une piste de solution. Les élèves décrochent parce qu'ils ne sont pas motivés par le fait de devoir exécuter, tous en même temps, ce que l'enseignant dit. Avec la pédagogie par projets, chaque élève peut choisir son projet. Ce qui ne veut pas dire que l'enseignant le laisse faire n'importe quoi. Il doit s'assurer que le projet touche à certains aspects du programme. Même si la réforme a été mise en pièces, des gens l'ont comprise et continuent heureusement de très bien l'appliquer.

Il est normal qu'à certains moments de notre vie, on «décroche». Il m'arrive d'avoir envie de «décrocher» de mon travail... Une chose à faire pour contrer le décrochage serait d'instaurer des mécanismes de relance pour ces élèves. Il faudrait systématiquement que des spécialistes – par exemple, des conseillers d'orientation qui connaissent tous les parcours possibles – les appellent avec une approche humaniste : «Salut! Tu ne viens plus à l'école depuis deux mois. Pourquoi? Tu n'aimes pas l'école... Prévois-tu revenir? Tu n'es pas prêt? Tu es en peine d'amour? O.K. Je vais te rappeler dans six mois.»

Ça demande une gestion : des listes, des téléphones, des gens qui appellent, écoutent, guident et proposent des solutions. On en raccrocherait plusieurs si on faisait ça! Il ne faudrait pas les lâcher, même deux ans plus tard : «Es-tu heureux dans ton travail? Où travailles-tu? À l'épicerie, parfait. Aimes-tu ça? Ce n'est pas trop payant, et tu n'aimes pas vraiment ça... Pourquoi? Ce n'est pas très motivant? Tu ne te réalises pas là-dedans? O.K. Y a-t-il un domaine où tu crois que tu pourrais te réaliser?»

Je vais donner un exemple; il ne faut pas en tirer des généralités, mais ça existe et peut expliquer des choses. Il est possible que, quelque part au Québec, des enseignants trouvent ça *tough* de gérer des élèves démotivés parce qu'ils dérangent et sont tannants. Il se peut que certains de ces enseignants prennent un jour un de ces élèves par le collet et le dépose devant le bureau du directeur adjoint en disant : «Je ne veux plus le voir. À toi de t'en occuper.» Il est probable que ce directeur adjoint fasse alors des pressions pour que les parents sortent l'élève du système. Il est possible qu'on lui dise : «Tu n'es peut-être pas à ta place. On va t'envoyer à l'éducation aux adultes ou en formation professionnelle.» Pourtant, ce jeune ne voulait peut-être pas aller là; il serait peut-être devenu un excellent avocat, mais on lui indique que sa place est ailleurs parce qu'il dérange.

Je n'ai rien contre l'éducation aux adultes ou la formation professionnelle. Je ne suis pas en train de dire qu'il ne faut pas devenir plombier. Je dis qu'il faut envoyer les personnes aux bonnes places et que ce n'est peut-être pas ce qu'on fait. Parfois, on achète la paix en tassant les grands veaux (cela dit affectueusement) d'une classe de cinquième secondaire parce qu'ils dérangent.

C'est un métier difficile, exigeant, que celui de faire de la gestion de classe. Les enseignants ont toute mon admiration. Sauf que, dans une classe de vingt-cinq ou trente élèves, plus le cours est ennuyeux, plus il y a de problèmes de discipline. Il faut donc que, à la base, le programme soit bien construit. C'est ce qu'on avait commencé à faire avec la réforme, mais on a mis la hache dedans.

Il faut que les enseignants aient une aptitude pour travailler avec les jeunes. Ce n'est pas donné à tous! Il y a des profs qui n'aiment pas les élèves. Ils vont dire qu'ils les aiment, mais ils les prennent par le collet et les sortent de leur classe quand ils dérangent. C'est facile, ça! «Si tu ne fais pas mon affaire, je te sors. Je garde seulement ceux qui veulent travailler.» Dans les écoles, chaque jour, il y a des élèves sortis des classes. On les pousse vers la sortie, c'est certain qu'ils décrocheront!

Enseigner, ce n'est pas juste parler devant une classe. Oui, d'habiles orateurs sont capables d'improviser et s'en tirent bien. Pourtant, ceux qui n'ont pas ce talent ne sont pas condamnés à quitter l'enseignement: ils peuvent mieux se préparer, aller chercher des outils, utiliser une pédagogie qui leur convient.

Il y a plusieurs types de pédagogie. On parle de LA pédagogie, mais on peut choisir sa pédagogie parmi les suivantes, notamment:

1. Le cours magistral. L'enseignant est très engagé, mais l'élève ne l'est pas. L'élève est passif et écoute l'enseignant faire son *show*. L'enseignant parle, dit quoi faire, et l'élève prend des notes. C'est le modèle, l'avant-réforme, ce vers quoi on revient de plus en plus aujourd'hui.

2. La pédagogie par projets. L'élève est très engagé, et l'enseignant s'implique avec lui.

3. Le système modulaire. L'élève fait tout par lui-même; l'enseignant ne fait pas grand-chose, il répond aux questions de temps en temps, s'il y en a.

Tout existe. Il faut que chaque enseignant s'interroge: «Où est-ce que je me situe comme pédagogue? Suis-je suffisamment engagé? Mes élèves le sont-ils?» Quand on réfléchit à ça et qu'on se prépare en conséquence, on peut y arriver. Mais il faut arrêter de penser que la pédagogie, ce n'est rien et que n'importe qui peut être pédagogue.

On apprend des notions à l'université et, lorsqu'on arrive sur le marché du travail, on se fait dire: «Maintenant, tu es rendu dans le vrai monde. Oublie tout ce que tu as appris. » Les jeunes enseignants doivent alors s'intégrer et respecter le mot d'ordre, surtout si le délégué syndical est dans le coin... On ne veut pas qu'ils s'impliquent trop, on ne veut pas qu'ils fassent de projets parce que leurs cours deviendraient trop le *fun* et que les autres enseignants se sentiraient moins bons! La pression du groupe fait que les jeunes enseignants prennent leur trou.

Je crois beaucoup à la rencontre du savoir universitaire et des praticiens; l'un ne va pas sans l'autre. La recherche pure doit devenir appliquée, et le travail de terrain doit s'appuyer sur la connaissance et le savoir. Pourtant, le discours des chercheurs est peu valorisé; ils se font traiter de rêveurs... C'est dommage.

Normand Baillargeon
Essayiste et professeur en philosophie de l'éducation

Le décrochage est la résultante de profondes inégalités sociales, mais il est surtout multifactoriel. C'est un problème extrêmement complexe. Il n'y a donc pas une seule solution.

Il y a des querelles et des débats sur les conditions préalables au décrochage. Le sociologue Pierre Bourdieu dit que l'école valorise des «habitus», certains modes de penser, de se sentir, de se comporter; bref, des référents culturels que les gens des classes favorisées ont déjà avant d'arriver à l'école et que les autres n'ont pas. En effet, l'école s'appuie sur toutes sortes de notions, de concepts, d'idées, de façons de s'exprimer, qui sont comme une seconde nature pour les gens des classes favorisées, mais qui forment une culture étrangère pour les gens des milieux populaires. Bourdieu affirmait que la source principale du décrochage et des insuccès scolaires résidait dans le fait que les gens arrivent de manière différenciée à l'école. Quand on doit passer par un système scolaire qui dénigre ce qu'on est, ce que qu'on connaît, ce qu'on a comme références, on finit non seulement par être exclu, mais par penser que l'exclusion est juste. C'est pour ça que certains vont dire : «Je n'ai jamais été bon à l'école, moi.»

Un autre sociologue, Raymond Boudon, dit quelque chose de très éclairant sur les choix que font les gens en situation d'information limitée. Prenons l'exemple d'un élève qui vient d'un milieu défavorisé. À l'école, on se rend compte qu'il est très bon en mathématiques et on dit à ses parents : «Vous devriez le pousser; on pourrait l'amener à un niveau supérieur.» Or, ces parents n'en voient pas l'intérêt parce que leur information est limitée; ils prennent des décisions rationnelles, mais en fonction d'informations incomplètes. Les jeunes des milieux populaires, même s'ils ont une grande passion pour les mathématiques, ne pensent pas qu'ils pourraient faire un doctorat en mathématiques. Ces jeunes-là ne sont pas cons, leur milieu n'est pas débile, mais ça ne leur vient pas à l'esprit... Ils ne savent pas quelles perspectives s'offrent vraiment à eux : avoir des bourses pour étudier, obtenir des subventions pour publier les résultats de leurs études et recherches en mathématiques, etc.

Une autre raison du décrochage, ce sont les pédagogies douces, l'idée selon laquelle il faut laisser les gens découvrir par eux-mêmes, qu'il ne faut pas enseigner systématiquement. Ce genre de pédagogie (qu'on a appliqué à travers la réforme) a été disqualifié par la recherche. Quand on n'a pas, avant d'entrer à l'école, les savoirs demandés, c'est une immense tâche que de réussir à les acquérir en même temps que d'arriver à trouver des réponses dans les situations complexes.

La manière dont on apprend, dont le cerveau fonctionne en situation d'apprentissage, implique ce qu'on appelle la «mémoire de travail». On accède au monde à travers une fenêtre qui s'ouvre et se referme très rapidement, et qui peut contenir sept (plus ou moins deux) éléments à la fois. C'est limité. Si je dis que le chat est sur le tapis en train de manger, il y a déjà presque sept (plus ou moins deux) éléments là-dedans.

On peut surmonter les limites de notre mémoire de travail par des schémas conceptuels. «Le chat est sur le tapis» constitue probablement un seul élément dans le cerveau de quelqu'un qui sait ce que c'est qu'un chat et un tapis. On procède par *chunkage*, par regroupement des éléments. Pour *chunker*, il faut avoir des savoirs. Si on ne nous les a pas transmis systématiquement, on est mal pris... Si on est devant un texte de physique quantique et qu'on ne connaît rien à la physique quantique, même si on connaît les mots, on n'est pas capables de *chunker*. Notre mémoire de travail est surchargée et ne fonctionne plus. Quand on met les gens dans une situation complexe pour résoudre un problème ou réaliser un projet, leur mémoire de travail arrive rapidement à saturation, et ils sont incapables de fonctionner.

Les sciences cognitives ont démontré que les connaissances sont préalables au développement des capacités cognitives supérieures. Il faut d'abord des connaissances, ensuite on peut penser de manière critique. Si on veut que les gens puissent mettre en œuvre une pensée critique, il faut systématiquement leur enseigner des savoirs. Notre capacité à penser de manière critique est limitée aux domaines dans lesquels nous avons des connaissances.

Ainsi, une des façons de contrer le décrochage est la transmission systématique de savoirs permettant d'élaborer des schémas qui aideront à surmonter les limites de la mémoire de travail. Tout le monde en bénéficierait, particulièrement les enfants de milieux défavorisés, qui ont besoin, plus que les autres, de cette transmission systématique. La recherche crédible en éducation et en sciences cognitives tend massivement vers cette conclusion.

La plus grande recherche jamais faite en éducation s'appelle *Follow Through*. Quand la réforme s'est implantée, j'ai demandé aux gens autour de moi, à mes collègues didacticiens, s'ils avaient déjà entendu parler de *Follow Through*. Un seul savait ce que c'était! C'est comme quelqu'un qui travaillerait sur un programme d'exploration spatiale et qui n'aurait jamais entendu parler du programme Apollo…

Au début des années 1960, le gouvernement américain a mis sur pied (Bush second l'a démantelé) un programme qui s'appelait *Head Start*. On avait constaté que les jeunes des milieux populaires arrivaient à l'école avec moins de vocabulaire et de connaissances que les autres. Ils avaient déjà un retard à combler. On a alors créé des écoles préscolaires et des maternelles où on envoyait les enfants de quatre ou cinq ans pour les préparer de manière à ce que, à leur arrivée à l'école, ils n'aient plus ce retard. On l'a fait pendant plusieurs années. Le gouvernement américain s'est alors dit : « Vérifions si cela donne des résultats par la suite. » *Follow Through* : on les suit. Ça a duré des années, on a dépensé des centaines de millions de dollars dans ce projet, et les résultats de cette recherche sont crédibles parce que leur évaluation a été confiée à un organisme externe.

On en a aussi profité pour comparer les mérites de différentes pédagogies : constructiviste, piagétienne, deweyienne, approche par projets, etc. Il y en avait une qui s'appelait *direct instruction*. L'idée de base est simple : transmettre systématiquement un cursus défini. Ça s'est avéré être la meilleure pédagogie, et ce, sur tous les plans, y compris celui du bien-être des enfants. Ils se sentaient bien dans ce mode d'apprentissage. La recherche en général tend vers cette proposition, à savoir que la transmission systématique d'un cursus déterminé est préférable à toutes les autres méthodes pédagogiques, surtout pour les enfants qui sont de potentiels décrocheurs.

Je ne nie pas qu'il y ait plusieurs facteurs au décrochage, mais un élément qui pourrait certainement aider à la contrer serait de centrer l'école sur sa mission première : enseigner systématiquement un cursus précis avec des méthodes éprouvées. Demander aux gens à penser de manière critique, c'est une perte de temps s'ils n'ont pas les schémas et les savoirs préalables pour le faire.

De la même manière, certains pensent qu'il y a des compétences transversales comme « chercher de l'information ». « Je vais vous apprendre à chercher de l'information. Vous allez ensuite être capables de chercher de l'information. » Oui, mais chercher de l'information en mathématiques, ce n'est pas comme chercher de l'information en morale ou en philosophie !

Pour la même raison, lorsqu'on n'a pas les savoirs préalables, on est perdu devant Internet. Selon moi, l'appel à Internet est une espèce de mirage pédagogique. Je dirais au contraire que, depuis qu'il y a Internet, il est encore plus important de posséder des savoirs de base pour pouvoir trier et se dépatouiller devant cette masse d'informations. La transmission systématique m'apparaît encore plus impérative.

Robert Bisaillon
Ex-enseignant et ancien sous-ministre adjoint de l'Éducation

Sur une cohorte de cent jeunes qui arrivent au secondaire, il n'en reste que soixante-quinze en cinquième secondaire. Que s'est-il passé avec les vingt-cinq autres? Ils ont eu seize ans, sont devenus adultes sur le plan scolaire, ont pu décrocher sans l'accord de leurs parents. Ils sont sur le marché du travail et il ne leur manque qu'un ou deux cours pour obtenir leur diplôme, mais l'école ne les appelle pas pour leur suggérer de venir finir ces cours. Toutes les dépenses en matière de persévérance scolaire sont, à mes yeux, de la *bullshit*. Ça sert, au mieux, à aller chercher 2 ou 3 % de jeunes qui, normalement, auraient dû rester à l'école, mais qu'on a laissé partir par négligence. Beaucoup de commissions scolaires rappellent systématiquement ces jeunes et les récupèrent. On leur dit qu'ils ne sont pas obligés de venir à l'école à temps plein ; on ne les écœure pas.

Le vrai décrochage commence à la maternelle. Des petits Québécois redoublent la maternelle alors qu'elle n'est même pas obligatoire. Michelle Courchesne, ministre de l'Éducation de 2007 à 2010, a rétabli le redoublement en première année, à la demande des syndicats et de beaucoup de parents, en disant que ça allait aider certains enfants à devenir matures... Or, l'Organisation de coopération et de développement économiques (OCDE) vient de publier une étude extraordinaire sur le décrochage dans laquelle on démontre que 70 % de ceux qui ont redoublé la première ou la deuxième année du primaire ne se rendront jamais au diplôme... Quand on fait redoubler les enfants sans aucune autre mesure d'aide, ils se retrouvent l'année suivante devant les mêmes problèmes, qui causent les mêmes effets.

À moins d'une exception balisée, on avait décidé qu'avec la réforme il n'y aurait plus de redoublement afin de nous obliger à donner aux enfants en difficulté les services nécessaires. Maintenant qu'on peut les faire redoubler de nouveau, on s'est enlevé cette obligation. Quelle formule magique ! On arrive à faire baisser le taux de décrochage de quelques points de pourcentage en rattrapant ceux qui sont déjà proches de l'obtention du diplôme. Mais pour ceux qui étaient mentalement décrochés dès leur entrée au secondaire, on ne fait rien. Avec la réforme, les enfants allaient avoir le même enseignant durant deux ans. Ça a provoqué un tollé ! On a alors fait des équipes de cycle. Par exemple, s'il manquait deux ou trois mois d'apprentissage à un enfant de première année, au lieu de le faire redoubler, on lui aurait fait faire sa première et sa deuxième année en même temps. En gardant le même enseignant, il aurait pu rattraper le temps perdu. Ça s'appelle le *looping*. Mais on venait ainsi de se mêler des conditions de travail des syndicats de l'enseignement. C'est là que ça se joue, bien plus que dans les conceptions théoriques de l'éducation.

Le programme n'est pas fait pour les élèves, il est fait pour l'enseignant. Or, on a critiqué le programme au Québec comme s'il était fait pour l'élève. C'est le manuel qui est pour l'élève, le programme est pour l'enseignant. À partir du moment où les profs mettent le programme de côté et enseignent encore avec le manuel et le cahier d'exercices, on revient à la situation de 1980.

Avant mon départ du ministère, j'avais réuni douze directeurs généraux de commissions scolaires et je leur avais demandé : « Pouvez-vous me dire jusqu'où la réforme a été implantée chez vous ? » Ils se sont mis à regarder un peu partout jusqu'à ce qu'il y en ait un, plus faraud que les autres, pour dire : « Voyons, Robert, personne ne sait ça, ici ! » C'est une des raisons de ma démission.

Les jeunes qu'on envoie dans des classes de cheminement particulier se retrouvent dans ce que j'appelle des « stationnements incitatifs au décrochage ». Avec la réforme, on a voulu briser ce cercle vicieux, mais les syndicats, en négociations, ont obtenu qu'on ne ramène pas dans les classes ces enfants jugés « pas bons ».

Quand j'enseignais au primaire, j'ai déjà eu la classe la plus difficile de l'école. Les autres enseignants me disaient : « Tu n'es pas chanceux, j'ai eu son frère ; il n'y a rien à faire, c'est dans la famille. » Je ne pouvais pas enseigner soixante-quinze minutes avec des enfants comme ça ! Il fallait que, après dix minutes, je varie. Alors, je les amenais dehors. Le simple fait de nous lever et de brasser les pupitres importunait les autres classes. J'ai failli me faire expulser par la commission scolaire parce que je dérangeais... Un autre reproche de mes collègues, c'était que j'étais trop dur avec mes élèves. Or, je n'étais pas dur, j'étais exigeant !

Certains enfants sont sous-stimulés lors de leur arrivée à l'école. La maternelle à temps plein a aidé, mais ça prend des années avant de donner des résultats à grande échelle. Les CPE sont également une bonne chose, mais seulement 50 % des enfants y ont accès, et ce ne sont pas nécessairement ceux qui en auraient le plus besoin qui les fréquentent, surtout en région.

Nous sommes responsables de ce décrochage. Tant que les causes premières resteront, tous nos beaux discours sur la persévérance et tout l'argent dépensé seront sans grandes répercussions...

Une idée phare pour l'éducation au Québec, du primaire à l'université

Camil Bouchard
Psychologue, ex-député

Rien n'est plus concret qu'une bonne théorie. Il faut se donner comme objectif de créer la meilleure école au monde; il ne faut pas en avoir peur, nous n'en sommes pas si loin! Ça prend une vision pour atteindre ce but. Comme disait un de mes collègues: «Quand tu ne sais pas où tu t'en vas, tu arrives ailleurs. Alors où veux-tu aller?»

Je veux la meilleure école au monde; une école où on est capable de reconnaître et de développer le potentiel cognitif, social et affectif de tous les enfants; pas une école égalitaire, une école équitable!

L'égalité des chances, c'est l'inégalité du traitement. L'équité, c'est traiter les gens de façon inégale afin que tous aient la même chance. C'est la théorie de la justice du philosophe John Rawls.

Il faudrait d'abord établir un budget d'infrastructure et construire les plus belles écoles possibles pour les enfants des milieux populaires. La priorité d'investissement, ce ne devrait pas être les routes, mais les écoles.

C'est là que les jeunes vont acquérir des connaissances et des compétences, c'est-à-dire la capacité d'appliquer ces connaissances de façon responsable. Pour y arriver, il faut un accompagnateur, quelqu'un qui peut démêler et mettre en perspective lesdites connaissances afin d'aider l'enfant à s'engager dans une construction civique.

L'école doit être un lieu d'interaction et d'accompagnement dans le processus d'établissement des connaissances. C'est de plus en plus intéressant parce qu'on peut bâtir à partir des connaissances avec lesquelles les enfants arrivent. Pour les constructivistes sociaux, l'arrivée d'Internet est fantastique parce que ça nourrit de nouvelles découvertes, de nouvelles curiosités qu'on peut ensuite approfondir avec les enfants.

Fabienne Larouche
Scénariste

Au primaire, il faut des enseignants de plus de quarante ans. Assez curieusement, on retrouve les plus jeunes enseignants au primaire. Pourquoi? Parce que les élèves sont plus faciles à contrôler physiquement? Pourtant, la fin d'une carrière en enseignement devrait se réaliser au primaire, là où l'on peut prendre le temps, où l'on peut faire bénéficier ces nouvelles têtes de la patience et de la perspective que l'expérience vécue dans la chaîne d'apprentissage apporte.

Ma mère fait partie des gens qui ont emmené le syndicat à l'école. Après plus de soixante ans, son constat est mitigé. Les effets pervers de cette syndicalisation sont nombreux :

1. construction des programmes en fonction de l'enseignant et non de l'élève ;
2. absurdité de l'horaire organisé en fonction du transport scolaire ;
3. promotion du moins performant, que le syndicat doit protéger, par essence.

Le repli sur une politique professionnelle a nui à l'évolution de l'école. On ne peut pas gérer l'école à partir d'intérêts corporatistes.

Au secondaire, ça prend des titulaires qui ont des objectifs pour chaque élève. Si le secondaire permet le développement de l'identité intellectuelle, ceci ne peut se faire que dans la dualité maître-élève au sens premier du terme. Pour évoluer harmonieusement, on a besoin d'un guide, mais surtout d'un modèle. L'élève du secondaire a besoin d'une relation privilégiée avec un adulte, pas avec tous. Les communautés religieuses avaient bien compris ce principe, malgré tous les débordements qui s'ensuivirent.

172

Le maître ne joue plus ce rôle aujourd'hui. C'est dommage. En apprenant à connaître l'élève, le titulaire doit l'aider à comprendre qui il est et comment il réagit par rapport à la connaissance ; il doit parvenir à le délier de ses craintes et de ses angoisses, à défaire ses résistances.

La connaissance peut être intimidante. Cette relation entre un adolescent et un adulte est de première importance pour stimuler la confiance en l'acquisition du savoir. Aujourd'hui, le maître est devenu un « patron », et l'élève, un « ouvrier ». N'est-ce pas paradoxal dans un contexte où les syndicats en mènent si large ? Peut-être pas puisque, à notre époque, les syndicats sont devenus de plus en plus « entrepreneurs ».

Quant à l'université, il faut que les universitaires reviennent au débat public, qu'ils ont laissé aux journalistes. Un universitaire est quelqu'un qui nuance, qui pose des questions, qui n'a pas de réponses instantanées ; c'est un individu qui a besoin de temps pour expliquer des choses complexes. Avec le développement des médias à tout crin, les intellectuels se sont retirés de la scène publique, et ce sont les journalistes qui ont pris le relais pour philosopher, pour énoncer ce qui est de bon ton, de bon goût, pour vulgariser le savoir. On a tous perdu au change. Le savoir est devenu une vaste émission de sport où des commentateurs professionnels, souvent avec des formations universitaires de base, viennent faire des observations sur à peu près n'importe quoi, et n'importe comment. On a donc le meilleur et le pire. Or, le citoyen dans tout ça a rarement l'heure juste.

Les universitaires se sont retirés d'un engagement véritable dans la discussion publique pour plusieurs raisons. Traditionnellement, les intellectuels étaient des phares : on sollicitait leur avis et on leur donnait le temps de l'exprimer. Ce n'est plus le cas. Allez donc expliquer en cent vingt secondes une maladie complexe ou l'endettement des États ! Enfin, nos intellectuels d'aujourd'hui sont des baby-boomers qui sont devenus nihilistes après avoir été révolutionnaires. Ils sont repliés sur leurs connaissances et regardent la société de loin, d'un œil cynique ou désabusé. Ils doivent reprendre leur place, avec l'énergie et la force que le savoir leur confère.

Ianik Marcil

Économiste

Au primaire, il faut arrêter de prendre les enfants pour des imbéciles, et valoriser leur curiosité et leur créativité par les sciences et les arts.

La Commission scolaire Marguerite-Bourgeoys a un centre spatial à Saint-Laurent, avec un simulateur de navette spatiale pour les jeunes du primaire. Pendant quatre mois, les enfants préparent leur mission en classe. Ils choisissent la planète qu'ils iront visiter et font leur plan de mission. Chacun a un rôle à jouer : il y a un capitaine, des membres d'équipage, un journaliste qui écrit un article et prend des photos, etc. Tout ça dans un petit simulateur qui est, au fond, une bébelle construite par les techniciens de la commission scolaire avec trois ou quatre ordinateurs. Pendant quatre mois, ma belle-fille de huit ans s'est ouverte à un monde complètement différent en participant à quelque chose qui était bien loin de sa réalité familiale.

C'est un exemple anecdotique pour dire que, selon moi, le point central de l'école primaire devrait être de mettre de l'avant la créativité des élèves à l'aide de l'ensemble du savoir humain, que ce soit les arts, les sciences et même le sport.

Au secondaire, il faut acquérir une culture générale solide, toujours à travers les arts et les sciences. Je pense que c'est important de se coltiner des problèmes classiques en mathématiques, en physique, ou même en sciences sociales. Il faut aussi les enrichir d'une perspective plus globale. L'objectif de l'enseignant devrait être de ne jamais avoir à répondre à la question : « Oui, mais à quoi ça va servir ? » La réponse devrait être évidente pour tous : ça va te servir, ça va te nourrir, et tout le reste va suivre. C'est mon pari.

Au cégep, il faut former des citoyens et aussi faire connaître la recherche qui s'y déroule. On fait de la recherche au cégep, mais personne ne le sait.

On a quelque chose d'unique au Québec : les centres collégiaux de transfert technologique. Ce sont des centres de recherche appliquée branchés directement sur l'industrie. Par exemple, au Saguenay–Lac-Saint-Jean, au cégep de Jonquière, il y en a un où s'impliquent les enseignants du cégep, la compagnie Alcan, beaucoup de PME, ainsi que tout le milieu communautaire lié au développement économique. Ça fonctionne parce que c'est souple, appliqué, et que les projets sont encadrés. Ce n'est pas la grosse machine universitaire, qui est complètement déchirée entre la recherche et l'enseignement. C'est plutôt : « On trouve une solution à un problème. »

Ça marche si bien qu'on a même étendu l'idée aux sciences sociales. Il y a des centres collégiaux de transfert en pratiques sociales novatrices, dont un au collège Ahuntsic, à Montréal. On tente d'y repenser les interventions sociales et de réaliser des projets comme bâtir des entreprises d'économie sociale pour qu'elles soient viables. Il faut valoriser ces initiatives pour arrimer la formation générale à des expériences concrètes.

À l'université, on a besoin d'un coup de barre. Il y a de moins en moins de professeurs qui enseignent. De plus en plus, ce sont des chargés de cours. Je ne méprise pas la qualité de l'enseignement donné par ces derniers ; je méprise le statut qu'on leur donne, leur précarité. Ça n'a aucun sens qu'il y ait des chargés de cours engagés une semaine avant le début de la session !

Si les professeurs enseignent de moins en moins, ce n'est pas parce qu'ils ne le veulent pas, mais parce qu'ils sont évalués au rendement, c'est-à-dire au nombre de publications. Ils doivent publier au lieu d'enseigner.

J'ai récemment parlé à un professeur de l'Université Laval qui ne voulait pas faire de recherche, qui ne voulait pas que publier pour faire avancer la science et sa discipline ; il voulait enseigner et écrire, une fois tous les trois ou quatre ans, un essai en profondeur. Qu'a fait l'université ? Elle lui a collé deux personnes de l'administration pour l'aider à faire ses demandes de subventions. On lui a imposé deux spécialistes en demandes de subventions parce qu'il devait rapporter, parce que c'est comme ça que les universités sont évaluées. Ce sont des machines hallucinantes...

C'est encore le *fucking* utilitarisme, l'obligation de produire quelque chose d'utile, une recherche qui va déboucher sur des articles et, dans le cas des sciences naturelles et du génie, des applications technologiques. L'enseignement est dévalorisé à l'université.

Il faut revaloriser l'enseignement, quitte à séparer les tâches. Pourquoi ne pas donner le rôle de chercheurs à certains, et à d'autres, le rôle de professeurs ?

Mario Asselin

Ancien directeur d'école, candidat de la Coalition avenir Québec
aux élections provinciales de septembre 2012

J'ai une idée pour le primaire qui s'applique un peu au secondaire : l'écriture en public. J'ai réellement découvert la puissance de la production de contenu en public. C'est un réflexe chez les jeunes de nos jours avec les médias sociaux : lorsqu'ils font quelque chose, ils veulent le diffuser. Leurs parents qui font développer des photos pour écrire derrière et les mettre dans un album, c'est de la préhistoire pour eux. Ils se disent plutôt : « Si tu as pris une belle photo, publie-la ! »

À l'école, les jeunes font des travaux, les remettent à l'enseignant, et ça s'arrête là. Pour les élèves, c'est une hérésie : quand tu fais quelque chose, c'est pour le dire, le donner, l'offrir aux autres !

J'ai lu le témoignage d'une femme du sud des États-Unis qui enseignait le violon. Comme tout bon professeur de violon, elle transmettait à ses élèves les éléments fondamentaux, les notions de base. Or, elle s'est rapidement rendu compte qu'elle devait les amener à se produire en public si elle voulait que ses jeunes avancent…

Un concert de violonistes débutants, ce n'est pas écoutable. C'est vraiment exécrable quand ça ne marche pas ! Mais lorsqu'on observe les parents, on les voit sourire et applaudir : « J'ai reconnu une mélodie ! Bravo ! » L'enfant, quant à lui, prend conscience de l'auditoire, s'ajuste, s'améliore.

Pourquoi serait-ce différent pour l'écriture ? Au soccer, au hockey, quand ils sont tout petits, les enfants tombent, s'enfargent, ne suivent pas les règlements, accumulent les punitions, mais continuent et s'améliorent. En ce qui concerne l'écriture, on se contente pourtant de dire : « C'est terrible comme ils font des fautes ! »

J'ai créé un site web avec des élèves. Le conseil d'administration de l'école voulait m'arrêter dès le mois d'octobre… Il y a eu une réunion d'urgence : « Mario, tu es en train de mettre la réputation de l'école à terre : tout le monde se plaint des fautes sur le site web. » Je suis allé voir les jeunes, qui m'ont dit : « Monsieur Asselin, les adultes sont malades, ils sont fous ! On écrit, on se force, on a des idées, mais il n'y a que les fautes qui sont importantes pour eux. Ils ne nous parlent que de ça… Qui s'attendait à ce qu'à dix ans, on soit parfaits ? Qui pensait ça ? »

Un jeune garçon a proposé une solution, et à sa suggestion, on a créé deux catégories de textes : « texte en construction » et « texte de qualité ». Lorsqu'il était indiqué que le texte était encore « en construction », les adultes n'avaient pas le droit de parler des fautes. Les élèves voulaient leur montrer qu'ils étaient capables de s'améliorer ; ils inscrivaient même combien de jours ils se donnaient pour en faire un texte « de qualité ».

On doit arrêter de croire que les gens en apprentissage n'ont pas droit à l'erreur, et de considérer que ne peuvent écrire et travailler en public que les gens parfaits.

Une autre idée importante est la mise en réseau des enseignants. Le potentiel des enseignants est énorme : ce sont des gens qui ont une connaissance assez particulière de l'être humain. Pour que ces gens-là se mettent en réseau, il faut briser l'omertà qui, actuellement, les prive de leur droit de parole. Les enfants n'ont pas le droit d'écrire en public, et les enseignants n'ont pas le droit de se prononcer en public. En éducation, la proportion de gens qui s'expriment anonymement sur Internet est très grande. Les gens ne veulent pas s'afficher.

Les enseignants ont tellement peur de leur syndicat que, dès qu'ils ont une pensée un peu différente de celles de l'autorité, ils présument que ça peut être dangereux. Les syndicats ont un pouvoir malsain sur eux. Quand tout le monde se tait, on peut facilement intimider une personne qui a l'impression d'être la seule à voir ce qui se déroule autour d'elle.

Le parallèle entre la crise sociale qu'a vécue le Québec en 2012 et le Printemps arabe est un peu galvaudé, mais dans le domaine de l'éducation, on a quand même vécu une petite révolution qui consistait essentiellement à reprendre la parole. Ce qui s'est passé avec les étudiants est très intéressant : au cours des grèves précédentes, les lobbys avaient toujours été capables de garder le contrôle de l'information. Or, les réseaux sociaux font maintenant circuler ce qu'il y a à savoir...

Il faut briser l'omertà, et faire en sorte que les gens se mettent en réseau et réinventent certaines choses. Je suis certain que les gens parviendraient à créer de belles surprises si on les affranchissait des groupes de pression.

Maryse Perreault

*Conseillère politique au ministère du Travail, de l'Emploi
et de la Solidarité sociale, ancienne présidente-directrice
générale de la Fondation québécoise pour l'alphabétisation*

Il faut un leadership clair sur la question du rehaussement des compétences des adultes. Il faut aider ceux-ci à faire face aux transformations de l'économie, à se reconvertir. La majorité des travailleurs en ont encore pour vingt ans ou plus sur le marché du travail, jusqu'ici on n'a rien fait pour eux.

Certains constatent leurs lacunes et se privent de poser leur candidature pour une promotion parce qu'ils savent qu'ils n'ont pas ce qu'il faut. Ils ne profiteront pas des formations en milieu de travail parce qu'ils n'ont pas les bases nécessaires. Ça représente un million sept cent mille personnes au Québec.

Ces personnes sont fragilisées et vulnérables. Il n'y a pas de plan d'ensemble pour les aider à rehausser leur niveau de compétences.

L'époque où on finissait sa formation en ayant tout ce qu'il faut pour le restant de ses jours est révolue. Maintenant, il faut pouvoir poursuivre une formation en vue d'une reconversion de carrière ou d'une promotion. Il faut avoir le bagage pour continuer à progresser, se maintenir en emploi, être socialement mobile.

La première chose que je ferais serait de mettre en place, en collaboration avec Emploi-Québec et le ministère de l'Éducation, un vaste chantier : rehaussement des compétences et formation dans les entreprises. Je ne mettrais pas ça entre les mains des commissions scolaires. Je créerais, au cégep, un programme spécial avec des assouplissements et des aménagements pour les gens qui ont un emploi. Une personne qui a décroché du système scolaire ou qui n'est pas allée à l'école depuis longtemps, dont les compétences ne sont plus à jour, n'a pas le goût de «retourner sur les bancs d'école»! Ce n'est pas une perspective motivante pour des adultes qui assument déjà des responsabilités et se débrouillent du mieux qu'ils peuvent.

Il faudrait donner du *sex-appeal* à ce type de programme, et je pense que le cégep serait le bon endroit pour l'accueillir. Il faut que les gens comprennent qu'ils pourront demeurer sur le marché du travail, qu'ils ne se retrouveront pas dans le dalot ou sur le bord du chemin, qu'ils pourront continuer à suivre la parade et que leurs enfants pourront suivre leur exemple. Ça aurait un effet d'entraînement. Avoir un parent qui va à l'école, qui ouvre ses livres et fait des exercices à la maison, a un impact extrêmement puissant sur les enfants.

Il faut s'occuper de tous les individus qui ont été touchés par l'échec scolaire et essayer d'enrayer à la source ses effets néfastes. La Norvège, qui avait vu le problème, s'est endettée pour donner à tous un an de congé-éducation. Tous les Norvégiens pouvaient s'en prévaloir; c'était pris en charge par l'État. Les gens avaient droit à des services d'orientation, d'évaluation, et ils choisissaient le secteur dans lequel ils voulaient passer leur année d'études. La Norvège s'en tire très bien à l'heure actuelle.

Il faudrait donc une réorientation des programmes vers la formation. En ce moment, lorsque quelqu'un se tourne vers Emploi-Québec et qu'il n'a pas de diplôme de cinquième secondaire, on va essayer de lui trouver des jobines. On ne l'enverra pas en formation : on trouve ça trop long ! On les appelle des « demandeux de cours » dans le jargon...

La difficulté réside dans la manière dont travaillent en ce moment Emploi-Québec et le ministère de l'Éducation : il n'y a pas de collaboration mais de la compétition. Emploi-Québec ne fait pas de développement de ressources humaines au sens où on devrait l'entendre. L'alphabétisation, à Emploi-Québec, ça n'existe pas.

Or, les choses ont changé en vingt ans. Quand j'ai commencé à travailler en alphabétisation, j'œuvrais auprès de gens qui avaient vécu avant le rapport Parent, qui n'avaient pas eu accès à l'école et qui avaient soif d'apprendre. C'est très différent d'avoir affaire à une population qui a été l'école, mais qui a été *scrapée* par l'école ! Aujourd'hui, il faut travailler pour redonner de la valeur à l'éducation.

Il devrait aussi y avoir des programmes pour les jeunes parents. On aura beau faire des choses formidables à l'école pour les enfants, si on laisse les parents en dehors de la *game*, on rate la cible. Les parents doivent faire partie de la solution.

Actuellement, dans les écoles, tous les parents qui s'y impliquent sont des parents de milieux favorisés ou, du moins, des gens scolarisés dont les enfants n'ont pas de problèmes. Les parents d'enfants à problèmes sont jugés par l'école et les enseignants comme des parents au mieux démissionnaires, au pire incompétents ou indignes. Personne ne se demande quelle sorte d'enfants ils ont eux-mêmes été et de quel milieu ils sont issus. On ne fait rien pour tendre la main à ces parents, qui n'auraient pas besoin de grand-chose pour s'impliquer.

Il faut faire passer ce message : « Pour que ça se passe bien à l'école, il faut y voir dès la naissance ! » C'est dans la petite enfance que tout se joue. Un enfant qui vient d'un milieu défavorisé ou peu scolarisé, même s'il fait partie de la classe moyenne, arrive à l'école avec un déficit équivalent à deux mille heures de lecture par rapport à un enfant d'un milieu plus scolarisé. Ça veut dire qu'il ne voit pas ses parents lire, qu'il n'y a pas de pratique de lecture au quotidien à la maison. Très souvent, il n'y a pas de livres à la maison, et ces enfants écoutent 300 % plus la télé que les enfants de la classe moyenne avec des parents scolarisés. Ils arrivent à l'école privés de ce qu'on appelle la « maturité scolaire », du moins de celle des enfants de la classe moyenne scolarisée.

Il faut envisager un changement de culture pour 49 % de la population. Si c'est en forgeant qu'on devient forgeron, c'est en lisant qu'on devient un meilleur lecteur et c'est en se formant qu'on apprivoise la formation !

Normand Baillargeon
Essayiste et professeur en philosophie de l'éducation

Une idée pour le primaire à laquelle je tiens beaucoup est celle de «brigades» pour les milieux défavorisés. Notre école est un lieu de perpétuation des inégalités, alors qu'elle pourrait être un lieu contribuant à la justice sociale. Je souhaiterais qu'on forme dans les universités des gens spécialisés pour aller enseigner dans les milieux défavorisés, des gens conscients de ce que ça implique que d'enseigner dans ces milieux et qui connaîtraient les manières de s'y prendre.

À l'Université du Québec à Montréal, un commissaire d'école, Robert Cadotte, avait lancé un centre d'enseignement pour les milieux défavorisés. C'est une des premières choses que le doyen, monsieur Marc Turgeon, a *scrapées* quand il a pris le pouvoir. Ce fut catastrophique car c'était une très belle idée que de former du personnel voué à l'équité sociale. C'est répugnant de voir les injustices énormes qui sont perpétuées par le système scolaire alors que l'éducation est tellement importante.

En ce qui a trait au secondaire, la situation dans les facultés d'éducation est inquiétante. Souvent, ce sont des milieux d'une confondante inculture. Je souhaiterais qu'on forme de futurs maîtres très cultivés. Or, la culture générale n'est guère transmise dans les facultés d'éducation. J'y enseigne depuis vingt-cinq ans, et ce que j'entends systématiquement de la part de mes étudiants, ce sont des plaintes relatives à la pauvreté intellectuelle des cours qu'ils reçoivent. La culture n'est pas choyée dans les facultés d'éducation…

Quand on arrive dans une école secondaire, il est plus important que jamais d'être un maître cultivé. C'est ce qui permet, en mathématiques, de faire des liens avec l'histoire, de dire, par exemple : «Les mathématiciens

arabes, les voici. La culture arabe, c'était ça, à cette époque. »
C'est ce qui permet de dire, dans le cours de français : « Tel philosophe avait pensé ça ; voici ce qu'on en disait. » De telles interventions demandent de la culture, mais on ne forme pas des maîtres cultivés. La formation des maîtres devrait être enrichie d'autant plus qu'elle a été appauvrie par les exigences du ministère qui font qu'Einstein ne pourrait pas enseigner la physique au Québec. On ne mise pas assez sur une formation disciplinaire forte. Un baccalauréat en histoire pour aller enseigner l'histoire au secondaire, ce n'est pas de trop ! Quand on a une formation intellectuelle, on sait que c'est long d'entrer dans une forme de savoir, de maîtriser des concepts de fond. Or, on a diminué les exigences disciplinaires, et la faiblesse des cours en éducation est souvent confondante.

J'ai bien sûr des collègues qui font de l'excellent travail, mais il y a aussi des cours qui sont d'une grande pauvreté intellectuelle. Rehausser le contenu de la formation disciplinaire pour les futurs maîtres au secondaire est une exigence impérative.

Les facultés d'éducation ne l'ont pas beaucoup, la faculté d'éducation ! Elles sont devenues des lieux très techniques, où la culture n'est pas la chose la mieux vue.

Parmi les meilleurs étudiants que j'ai eus, bon nombre ont quitté le domaine en disant que c'était intellectuellement trop pauvre. Parmi eux, il y a des jeunes doués qui avaient le goût de changer le monde. Que notre système d'éducation perde des gens comme ça est catastrophique. Il faut absolument rehausser les exigences culturelles et disciplinaires des programmes d'éducation.

Quant à l'université, je souhaiterais sincèrement qu'on rende possible la création d'une université à part où se retrouveraient un certain nombre de professeurs voués à la transmission d'une éducation et d'un cursus libéral à peut-être cinq cents étudiants. L'université est devenue beaucoup trop bureaucratisée, centrée sur l'argent, l'économie et le privé. On gagnerait collectivement à permettre l'existence d'une petite institution comme celle que je préconise.

Le Québec a besoin de raccrocher à l'école…

Entre le moment où je suis entré, pour la première fois, à la petite école et celui où j'y ai déposé ma fille pour sa grande rentrée, il s'est écoulé trente-cinq ans. Pourtant, j'ai l'impression que le temps s'est figé dans le système scolaire primaire au Québec, que malgré les multiples réformes, le milieu n'a pas vraiment évolué.

Bien sûr, la religion a pris le bord. On essaie maintenant de former des petits citoyens responsables plutôt que de bons chrétiens obéissants. Les vieux tableaux noirs perdent du terrain au profit des tableaux «intelligents». La forme des bulletins a changé, puis est revenue à la base. Les compétences, transversales ou autres, sont arrivées, puis reparties. La terminologie dans l'enseignement s'est modifiée. Pourtant, un fait, selon moi, demeure : la petite école est toujours aussi peu branchée sur son milieu naturel, aussi peu liée à la communauté, sans laquelle elle ne serait pourtant rien.

À la vaste question «De quoi le Québec a-t-il besoin en éducation?», je répondrais d'emblée que nous devons raccrocher à l'école, nous l'approprier, en devenir les complices. Pour cela, l'école, de son côté, doit s'ouvrir. Il faut donner une «vie» à l'école, pivot d'une collectivité.

La petite école, encore aujourd'hui, n'est, trop souvent, qu'un lieu où les parents déposent leurs enfants le matin et où ils viennent une fois ou deux par année, à la remise des bulletins. Est-il normal que j'entretienne des relations plus fréquentes et plus chaleureuses avec mon garagiste qu'avec les gens qui enseignent à mes enfants?

Les Africains disent qu'il faut un village pour élever un enfant. Dans notre société, en particulier en ville, le centre du village, le baobab, c'est l'école. Cela passe par de petites choses : dialogue entre enseignants et parents, partage des compétences et des connaissances entre parents, grands-parents et enfants, utilisation des installations pour la création artistique, pour le sport, pour des conférences, pour des activités communautaires, pour des corvées. Il importe de créer des liens et d'établir un sentiment d'appartenance. Le gouvernement Charest semblait commencer à le comprendre, quoique tardivement et timidement. Dans son discours inaugural de février 2011, Jean Charest a annoncé que toutes les écoles primaires et secondaires recevraient des budgets pour l'achat de maillots sportifs à leurs couleurs (dix-huit mois plus tard, nous étions toujours en période de « consultation » avec les écoles et les commissions scolaires…).

Comment se fait-il qu'une initiative aussi simple, largement répandue depuis toujours chez les Anglo-Saxons, n'ait pas été mise de l'avant plus tôt ici ? Est-ce culturel ? Considère-t-on, au Québec, que l'école est une affaire privée qui ne concerne pas le milieu dans lequel elle se trouve ? Un passage obligatoire où les enfants font leur temps pour obtenir le droit de passer à l'étape suivante, sans plus ?

En tout cas, on part de très loin.

Une anecdote révélatrice : à l'école de mes enfants, les paniers de basketball sont à dix pieds, ce qui est évidemment trop haut pour des petits (au mini-basket, le panier est à huit pieds, et le ballon est plus petit). J'ai demandé, il y a trois ou quatre ans, au professeur d'éducation physique pourquoi on n'abaissait pas les paniers. J'attends toujours une réponse et les paniers inaccessibles continuent de ramasser la poussière du plafond…

QUI FAIT QUOI

« Quel est le rôle de l'école, du primaire à l'université ? », avons-nous demandé à différentes personnalités pour ce livre.

Au primaire, tous s'entendent pour dire que les enfants doivent apprendre à lire, à écrire et à compter. C'est la base, à laquelle nos participants ajoutent quelques touches fort intéressantes, entre autres que l'école primaire doit favoriser le développement intellectuel, personnel et social des enfants, notamment par le sport, la culture et les saines habitudes de vie.

On entend souvent dire que l'école doit apprendre aux enfants à être curieux. Je crois pour ma part que les enfants sont curieux de nature. Il faut nourrir cette curiosité et, dans le meilleur des scénarios, la laisser devenir perspicacité. Pour cela, l'école doit être motivante, allumée, créative et, oui, exigeante.

J'aime bien l'image de Maryse Perreault, qui dit que l'école doit d'abord apprendre aux enfants à apprendre. Je ne suis pas diplômé en pédagogie, mais il me semble évident que si les enfants apprennent à apprendre dans un milieu stimulant, qui leur ressemble et les rassemble dès leurs premières années d'études, les probabilités qu'ils décrochent plus tard sont moindres.

Le secondaire devrait apprendre aux élèves les plaisirs d'utiliser les outils acquis au primaire. Il ne s'agit plus seulement de savoir lire, mais d'avoir envie de lire, d'en tirer quelque chose de valorisant, notamment par le truchement de l'enseignement de l'histoire, un *must* malheureusement négligé au Québec depuis trop longtemps.

Je ne suis pas le seul à le dire : l'école secondaire doit aussi redonner de la valeur à l'enseignement des métiers, un secteur considéré depuis trop longtemps comme la voie de garage des cancres qui n'aiment pas l'école. Tout le monde ne sera pas docteur en philosophie, et il n'y a rien de méprisable à être briqueteur, mécanicien, soudeur, plombier, ferblantier, etc. À en juger par les factures de rénovation que j'ai dû régler depuis quelques années, il semble bien que la formation professionnelle ne mène pas à l'indigence !

Il est urgent, par ailleurs, de revaloriser l'école secondaire publique, qui dépérit peu à peu dans l'ombre des écoles privées. Cette situation est particulièrement criante à Montréal, où les grosses écoles publiques sont en train de devenir des ghettos culturels et économiques. Depuis leur création, les cégeps ont essuyé toutes les critiques. Pourtant, ce modèle unique en Amérique du Nord a bien des mérites, le premier étant d'offrir une période «tampon» aux jeunes, à un moment charnière de leur cheminement scolaire et professionnel.

Certains voudraient abolir les cégeps ou les transformer en écoles de formation technique. Je crois, au contraire, qu'il faut les renforcer. On s'est bien moqué, depuis des années, des cours de philosophie et autres «pelletages de nuages» décriés par les adeptes d'une école-usine-de-fabrication-de-main-d'œuvre, mais si on expulse Platon et Socrate des cégeps, où les jeunes en entendront-ils parler? Et seront-ils plus riches? Intellectuellement, certainement pas. Fréquenter les grands penseurs, ne serait-ce que quelques mois dans un long parcours d'études, c'est un luxe abordable qu'une société riche doit s'offrir. ·

Le rôle de l'université dans la grande chaîne de l'enseignement me semble assez bien défini, quoiqu'il faille, je crois, se préoccuper de la multiplication des campus satellites, des programmes et, généralement, de l'approche très *business* des dirigeants d'université.

Le maître-mot d'une université devrait être «savoir», pas «profit», «retombées» ou «revenus». Non, le savoir ne rapporte pas toujours, du moins pas immédiatement, et pas toujours en espèces sonnantes et trébuchantes, mais les universités ne sont ni des franchises de restauration rapide ni des banques.

Le débat des droits de scolarité, sous son seul angle pécuniaire, est insignifiant. On parle ici de comptabilité, pas d'enseignement. Le vrai débat doit tourner autour de l'accessibilité aux études universitaires et de la qualité de celles-ci.

Je me méfie généralement des forums, des commissions et autres états généraux, qui sont trop souvent des manœuvres politiques pour gagner du temps et, au final, noyer le poisson, mais je crois néanmoins qu'il n'est pas futile de se pencher, une fois par génération, sur l'avenir de nos universités.

UNE IDÉE PHARE : REVENIR À L'ESSENTIEL

Le fait de côtoyer, dans ces pages, les meilleures « têtes » dans le domaine de l'éducation m'oblige à une grande modestie, surtout quand il s'agit de trouver une idée phare pour l'éducation au Québec, du primaire à l'université. Je vais donc m'en tenir à l'essentiel : moins de réformes, plus d'enseignement.

Au fil des décennies, le ministère de l'Éducation est devenu une énorme machine, bien loin du milieu qu'il doit diriger.

Les commissions scolaires sont elles aussi devenues de lourdes organisations, bien loin des gens qui les financent.

Il faudrait rétablir les liens, de un, entre le ministère et les écoles, et de deux, entre les commissions scolaires et les citoyens. Le taux de participation aux élections scolaires, parfaitement risible, témoigne d'un décrochage profond.

Nos voisins américains tiennent mordicus au principe *No taxation without représentation*; si tu paies des impôts, tu dois être représenté et pouvoir te faire entendre. La relation entre les Québécois et les commissions scolaires fonctionne à l'inverse : on paie la taxe scolaire et on se fiche éperdument de son utilisation. C'est absurde et insensé parce que l'éducation est à la base de tout; c'est une responsabilité collective qui assure notre richesse commune.

Je n'ai pas de recettes miracles, mais il nous faudra intéresser, impliquer les Québécois, et pas seulement les parents, dans l'éducation.

En ce sens, nous aurions avantage à mettre à profit l'expérience, la sagesse et… les temps libres des retraités, souvent encore relativement jeunes et volontaires.

Quant au ministère de l'Éducation, il devrait mettre plus d'énergie sur la base – l'enseignement – que sur les innombrables réformes.

Avez-vous récemment aidé un élève du primaire à faire ses devoirs ? Moi, oui, et ça m'a obligé, moi aussi, à faire mes devoirs ! En effet, j'ai dû aller sur Internet pour comprendre les nouveaux termes à la mode. Les enfants apprennent maintenant à lire avec des «mots étiquettes» (en reconnaissant par association et non plus phonétiquement), les pronoms sont devenus des «déterminants», on parle maintenant de «groupe nom» pour désigner le sujet... Et je ne parle que des devoirs de français !

Pourrait-on cesser de vouloir réinventer la roue tous les dix ou douze ans, revenir à la base et arrêter de traiter les enfants comme des cobayes du laboratoire dirigé par des apprentis sorciers au Complexe G, à Québec ?

Vincent Marissal

NOTES BIOGRAPHIQUES

DIRECTEURS

Jean Barbe

Membre de l'équipe fondatrice du journal *Voir* – dont il a été le rédacteur en chef de 1986 à 1991 –, romancier, journaliste, scénariste, chroniqueur culturel, éditeur et animateur, Jean Barbe vit par et pour la culture depuis près de trente ans.

Marie-France Bazzo

Curieuse et sociologue, animatrice et productrice ayant longtemps été à la barre d'*Indicatif présent* à la radio de Radio-Canada, Marie-France Bazzo anime l'émission *Bazzo.tv* à Télé-Québec depuis sept ans.

Vincent Marissal

Chroniqueur au quotidien *La Presse*, Vincent Marissal a une formation en journalisme et une déformation en politique. Au cours des vingt dernières années, il a été en poste sur les deux collines parlementaires, et a couvert une douzaine de campagnes électorales et référendaire en tant qu'analyste et commentateur pour la télévision et à la radio. Il collabore à l'émission *Bazzo.tv* depuis les débuts de celle-ci.

Participants

Mario Asselin

Mario Asselin a d'abord œuvré dans des écoles privées engagées dans un processus de relève aux communautés religieuses ; il a travaillé dans ces établissements durant vingt-deux ans, dont seize en tant que directeur. En 2005, il est passé au monde des affaires avec Opossum, une division de iXmédia. Il intervient depuis ce temps dans plusieurs projets où l'utilisation des nouvelles technologies est au service des apprentissages, et ce, auprès d'entreprises et de ministères, au Canada et en France. Chargé de cours depuis août 2010 à l'Université de Montréal, où il enseigne la communication organisationnelle, il collabore depuis mai 2011 aux projets de la Coalition avenir Québec. Il anime le blogue *Mario tout de go* depuis octobre 2002.

Normand Baillargeon

Normand Baillargeon enseigne à l'Université du Québec à Montréal la philosophie de l'éducation aux futurs enseignants. En plus d'être collaborateur à de nombreuses revues, il a écrit ou édité une cinquantaine d'ouvrages portant sur l'éducation, la philosophie, le politique et la littérature ; il est notamment l'auteur de *Liliane est au lycée, Je ne suis pas une PME* et *L'arche de Socrate*. Il a également traduit quelques ouvrages d'auteurs qui lui tiennent particulièrement à cœur (R. Rocker, F. Douglass, L. Carroll et V. de Cleyre, entre autres).

Robert Bisaillon

Robert Bisaillon a enseigné au secondaire de 1970 à 1980 et au primaire de 1984 à 1989. Il a été président d'un syndicat régional, puis du Syndicat national des enseignants (aujourd'hui la Fédération des syndicats de l'enseignement) de 1979 à 1984, ainsi que président du Conseil supérieur de l'éducation de 1989 à 1995 et de la Commission des États généraux sur l'éducation de 1995 à 1997. Il a été sous-ministre adjoint de l'Éducation de 1997 à 2005 et professeur invité à la faculté des sciences de l'éducation de l'Université de Montréal en 2006 et 2007.

Camil Bouchard
Camil Bouchard a été député provincial pour le Parti québécois dans la circonscription de Vachon de 2003 à 2010. Psychologue de formation, professeur et chercheur à l'Université du Québec à Montréal depuis vingt-huit ans, il est l'auteur du rapport *Un Québec fou de ses enfants*, paru en 1991.

Diane Boudreau
Diane Boudreau est docteure en études françaises et vient de prendre sa retraite après avoir enseigné pendant plus de trente ans au secondaire. Romancière, poète, essayiste, elle a publié des articles et une dizaine de livres, dont deux romans jeunesse. Au cours de sa carrière, elle a remporté plusieurs prix, tels les Mérites du français multidisciplinaire et de la francophonie en éducation, la médaille de bronze de l'Ordre du mérite de la Fédération des commissions scolaires du Québec pour services rendus à l'éducation, le deuxième prix d'innovation en enseignement de la poésie de l'Association québécoise des professeurs de français et du Festival international de la poésie de Trois-Rivières ; son article « Oui, je connais Justin Bieber et j'ai un iPod », publié dans *L'actualité*, a par ailleurs reçu une mention d'honneur à la remise des Prix du magazine canadien 2011.

Fabienne Larouche
Fabienne Larouche a enseigné au secondaire durant cinq années après avoir étudié en histoire à l'Université de Montréal. Elle devient ensuite directrice littéraire pour le compte de plusieurs productions télévisuelles, puis commence sa carrière de scénariste. Depuis 1990, elle a écrit ou coécrit plus de 1150 heures de fiction pour la télévision et le cinéma ; *Virginie*, son œuvre la plus imposante, et *30 vies*,

sa plus récente série, se déroulent toutes deux dans une école secondaire. Elle a été nommée chevalier de l'Ordre de la Pléiade pour la promotion de la culture française en 2004, puis chevalier de l'Ordre du Québec en 2011.

Ianik Marcil

Ianik Marcil est un économiste indépendant spécialisé en innovation, transformations sociales et justice économique. Il s'intéresse notamment à la violence économique et technologique et aux liens entre arts, technologie et économie. Il pratique sa profession à titre de conférencier, formateur et consultant.

Maxime Mongeon

Maxime Mongeon est un passionné de littérature et d'éducation; en plus d'être romancier, il est parvenu à cumuler tour à tour des fonctions de conseiller pédagogique, de directeur d'école et de président d'association de directeurs d'école. Il occupe actuellement un poste de coordonnateur au sein des services éducatifs de la Commission scolaire de Laval tout en assumant la direction du domaine jeunesse chez Leméac Éditeur.

Maryse Perreault

Maryse Perreault est diplômée en histoire et en traduction, et a travaillé dans le domaine de l'éducation des adultes pendant une quinzaine d'années. Elle a notamment créé, en 1995, la firme de consultants PROFE (Production d'outils de formation et d'évaluation en entreprise). Jusqu'en juillet 2004, elle a été une des responsables du Service des programmes aux organismes communautaires du ministère de l'Éducation du Québec. Ensuite, elle a été présidente adjointe, puis présidente-directrice générale de la Fondation québécoise pour l'alphabétisation, et ce, jusqu'en 2011. En 2009, elle a été nommée membre de la Commission de l'éducation des adultes et de la formation continue du Conseil supérieur de l'éducation du Québec ainsi que du Comité de vigie sur la persévérance scolaire du ministère de l'Éducation. Elle s'est présentée comme candidate du Parti québécois aux élections provinciales de septembre 2012.

Guy Rocher

Guy Rocher, diplômé de Harvard, œuvre dans le milieu universitaire québécois depuis plus de cinquante ans et est considéré comme le père de la sociologie au Québec. Très engagé socialement, il est un ardent défenseur de l'État-providence.

Madeleine Thibault

Madeleine Thibault a été enseignante au secondaire durant une vingtaine d'années – dont deux au Maroc – avant de travailler en administration à la Commission scolaire de Montréal dans différents services tels que les ressources humaines, l'informatique et la planification institutionnelle. Comme une grande partie de son expérience d'enseignante s'est déroulée auprès d'élèves en difficulté, elle a terminé sa carrière à la direction d'écoles accueillant des élèves aux prises avec de graves problèmes d'adaptation et d'apprentissage.

TABLE DES MATIÈRES

OUVRAGE RÉALISÉ PAR
LUC JACQUES, TYPOGRAPHE
ACHEVÉ D'IMPRIMER
EN OCTOBRE 2012
SUR LES PRESSES
DE MARQUIS IMPRIMEUR
POUR LE COMPTE DE
LEMÉAC ÉDITEUR, MONTRÉAL

DÉPÔT LÉGAL
1re ÉDITION : 4e TRIMESTRE 2012
(ÉD. 01 / IMP. 01)